SUITE À
LA DERNIÈRE LEÇON
LEÇON

NOËLLE CHÂTELET

SUITE À
LA DERNIÈRE
LEÇON

récit

ÉDITIONS DU SEUIL
25, bd Romain-Rolland, Paris XIVe

ISBN : 978-2-02-122339-2

www.seuil.com

Plus de douze années se sont écoulées depuis que ma mère a décidé de mettre fin à ses jours. Elle avait 92 ans.

Mais peut-on croire ?...

Peut-on croire qu'il soit concevable d'entendre sa propre mère annoncer la date de sa mort ?

Peut-on croire qu'une fille accepte cette décision d'abord sans résister ?

Peut-on croire qu'elle veuille ensuite accompagner sa mère sur le chemin d'une mort choisie ?

Peut-on croire que ce cheminement commun puisse faire reculer la peur, l'effroi ?

Peut-on croire que cette expérience si âpre, mais si lumineuse, fût aussi remplie de joie, de rire ?

Peut-on croire que mère et fille se tiennent la main jusqu'à la dernière heure ?

Peut-on croire que le deuil d'une mère puisse se faire avec elle, avant sa mort, pour ne plus avoir à le faire après ?

Peut-on croire, en un mot, que la mort s'apprenne comme un ultime acte de vie ?

Il aura fallu la mort exemplaire de ma mère pour que moi-même j'y croie, car avant de la vivre, je n'y croyais pas.

★

★   ★

Ce que je n'imaginais pas, c'est qu'il faut approcher la mort de très près, parler avec elle, les yeux dans les yeux, l'entendre, l'écouter et surtout l'éprouver, dans son âme, son corps, tout son être, pour la comprendre enfin. Puis l'admettre.

De cette expérience inouïe, inédite, j'ai voulu témoigner.

Ainsi est né le livre *La Dernière Leçon* qui me porte, et que je porte encore, année après année, comme un modèle possible du mourir, à transmettre à mon tour.

Cette nécessité de la transmission s'est imposée à moi un certain jour à jamais gravé. Il a été le point de départ d'une aventure qui allait non seulement transformer profondément ma vie et ma réflexion d'écrivain, mais aussi dépasser ma propre personne.

C'était le jour que, dans *La Dernière Leçon*, j'ai nommé symboliquement « le jour de la chemise de nuit »... ce jour où, deux semaines à peine avant la mort choisie de ma mère, nous avons ri follement, elle et moi, comme de multiples fois, à propos d'un détail concernant les préparatifs de son départ.

Elle se demandait quelle chemise de nuit elle mettrait. La plus vieille, celle avec des fleurs mauves, usée comme elle, reprisée, rapiécée, avait sa préférence : « Mais quand même, ça la fiche mal, si on me trouve dans une chemise de nuit toute rapiécée, non ? » a-t-elle dit. C'est là que le rire a fusé. Fou. Nous avons ri ensemble de quelque chose qui aurait dû nous faire pleurer. Ce jour-là, éberluée par ce rire irrépressible autant qu'incongru, j'ai envisagé la possibilité d'un livre sur ce que nous vivions.

« Tu penses que c'est important ? Utile ? »

avait-elle demandé, prenant soudain son air de sage-femme qui sait le bon moment des choses en devenir. Et j'avais répondu : « Oui. Important pour ton combat. Utile pour aider, peut-être, à regarder la mort autrement.

— Alors, raconte, avait-elle conclu. Écris-le ! Je te fais confiance. »

Ce livre, nous l'aurons donc conçu ensemble et, d'une certaine manière, écrit – même elle partie – un peu à quatre mains, grâce à la confiance. Pour autant, j'ignorais alors ce qu'il en serait, concrètement, et de l'utilité et des effets de la démarche.

J'ai été stupéfiée par l'accueil qu'a reçu ce récit périlleux sur l'apprivoisement possible de la mort et confortée, aussi, dans l'idée qu'une expérience, si intime soit-elle, a sa part d'universalité.

J'étais entendue. Sollicitée pour porter la leçon, imposée, reçue, apprise et finalement acceptée. On voulait *nous* voir. *Nous* parler, les yeux dans les yeux ! Vérifier la pertinence de la leçon. S'assurer que j'avais bien surmonté cette épreuve singulière et surtout que j'étais en paix.

Je dis *nous* parce que, où que je fusse alors, parmi quelques auditeurs d'un modeste club de lecture d'un village du Jura, ou devant des centaines de personnes massées dans d'illustres librairies, il paraissait évident, pour tous, que cette mère était encore à mes côtés tandis que je contais comment la mort s'apprend. Nous parlions d'une seule bouche inspirée, lumineuse. Nous étions encore « gigognes ». L'une tenant l'autre comme à chaque instant des trois mois du compte à rebours de sa mort, annoncée le jour anniversaire de ses quatre-vingt-douze ans, à la table familiale, un certain 27 août.

Deux années ont suivi, consacrées exclusivement à accompagner le récit partout où il avait touché les cœurs, ébranlé la raison. Mais il s'agissait moins de tournées commerciales, comme cela se pratique habituellement à la sortie d'un livre, que de rencontres autour de la mort où la parole se libérait, où chacun, chacune, convoquait ses chers disparus, les invitait à venir nous rejoindre. Communion des regrets, des colères, des peines, des peurs.

Mais surtout on *nous* écrivait. Des lettres par dizaines, par centaines. Des lettres qui appelaient une réponse, sans délai, sans échappatoire.

Deux années donc, à leur répondre, à

ces lecteurs bouleversés. Des témoignages qui m'obligeraient bientôt, au-delà de l'empathie, à l'engagement, car que faire, sinon, des appels au secours déchirants de ces vieilles personnes qui voulaient s'en aller, à l'exemple de ma mère, mais qui ne le pouvaient pas, faute de savoir comment. Souvent, on me réclamait la recette, la recette pour mourir. « Je vous en supplie, madame ! » m'écrivait-on. Simplement, candidement, comme on demande la recette d'un gâteau. Et moi, impuissante devant ces prières qui me paraissaient de plus en plus naturelles, légitimes. Et moi, contrariée, et bientôt indignée, par la surdité de la République sur l'aspect essentiel de la fin de vie pour certains de nos aînés.

Plus de douze années ont passé depuis cette nuit du 5 au 6 décembre 2002 où, sereine, ma mère s'en est allée, de son plein gré, sa leçon transmise, dans sa vieille chemise de nuit aux fleurs mauves.

Des années à mûrir, à changer. À grandir ?

Un temps nécessaire pour transformer l'élève assidue à l'école de la mort en disciple capable de transmettre, à son tour, dans la maïeutique que suggère tout passage. La naissance et la mort n'en sont-elles pas les parfaites métaphores ? Et puis, capable d'éprouver avec d'autres le mourir, le connaître mieux.

Devenir assez grande pour tenir à mon tour d'autres mains dans la mienne et faire de mon nouvel engagement un combat citoyen. Car je me suis découverte « engagée » presque sans m'en rendre compte. C'est à force de défendre le combat de ma mère qu'il est devenu progressivement le mien.

Insensiblement, en répondant au courrier, puis en multipliant publiquement mes prises de parole sur la question de la fin de vie, mon discours a gagné en conviction. Il s'est davantage précisé, argumenté, grâce à l'expérience vécue avec ma mère, mais aussi à l'occasion d'autres situations emblématiques, largement médiatisées, où la mort était réclamée comme un dû au nom de la liberté.

C'est sur l'aide active à mourir, revendiquée par nombre de nos aînés, que je me suis mise à batailler, en évitant autant que possible le sectarisme, mais persuadée que la liberté de mourir appartient bien aux droits fondamentaux qu'exige une démocratie.

La France est en plein débat sur cette question. Un débat loin d'être fini. J'y apporte, parmi d'autres, ma voix. Je m'en fais un devoir désormais, pour ne pas dire une mission.

« Tu sais, ma chérie, m'a dit ma mère peu avant de partir, mon combat à nous a surtout été celui de l'IVG (interruption volontaire de grossesse) le tiens, le vôtre, sera celui de l'IVV (interruption volontaire de vie – ou de vieillesse). Et, a-t-elle ajouté, vous le gagnerez ! »

Cette promesse, j'y crois, puisqu'elle me vient de la sage-femme et de la femme sage qu'elle fut et restera...

Pas un jour ne passe, depuis plus de douze ans, sans que je pense à cette promesse donnée.

Et c'est à elle, plus que jamais, que je songeais, en ce jour d'octobre 2012, car une rencontre m'attendait dont je sentais déjà qu'elle serait déterminante. Pour la deuxième fois, on me proposait une adaptation cinématographique de *La Dernière Leçon* et j'ignorais encore tout de ma réponse.

★

★   ★

Je me dis : Attention ! Ne t'engage pas !
Rien ne t'y oblige !

Tu les connais, les risques de l'adaptation,
n'est-ce pas ?

Toi-même, n'as-tu pas souvent déploré,
comme simple spectatrice, le passage déroutant
de l'écrit à l'écran ?

Mais surtout, cette histoire t'appartient ! Elle
t'est, parmi toutes, la plus chère. Souviens-toi
qu'en l'écrivant, chaque mot fut pesé comme
une pierre précieuse extraite de ton âme à vif...

Prudence ! dis-je.

Enfin, la voilà, la réalisatrice accompagnée
de Jean-Marc Ghanassia, son agent, qui a été
notre intermédiaire.

Elle est assise en face de moi, sympathique,
souriante, dans le restaurant à deux pas de ma
maison, sur mon territoire en quelque sorte.

Elle, Pascale Pouzadoux.

Son premier geste : elle sort le livre de son
sac, le pose devant moi.

Je reconnais *La Dernière Leçon* en format
poche, avec, en couverture, ce détail si touchant
d'une fresque italienne : la main potelée d'un

enfant qui s'agrippe à celle d'une femme, sur un drapé de robes médiévales.

Le livre est tout froissé, écorné, usé.

On voit bien qu'il a séjourné longtemps dans le sac.

On voit bien qu'il a été lu et relu. Qu'il a accompagné, intimement, celle à qui il appartient.

« Oui, dit-elle. Lu et relu ! »

Puis elle me parle. Moi, j'écoute.

Elle parle de la force du livre sur elle. Elle l'imagine à l'écran depuis tant d'années, cette histoire inédite !

Pascale y croit, pour elle, pour tous, à cette « leçon »... Profondément. Elle le voit, son film.

J'écoute. Longtemps. Convaincue, de plus en plus.

Et à ma grande surprise, je m'entends dire : « Oui ». Si vite, si étonnamment vite.

Oui, je veux bien. J'accepte. Je sens que je vais le prendre là, tout de suite, sans hésiter, sans délai, le risque de la dépossession !

J'ignorais, alors, combien ce « oui » bousculerait, pour moi aussi, mes jours et mes nuits à venir.

De retour à la maison, la décision que je viens de prendre me paraît vertigineuse. Mais je suis prête. Le moment est venu.

★

★   ★

Prête je ne l'étais pas quand, en octobre 2005, la productrice Martine de Clermont-Tonnerre (très affectivement touchée par mon histoire qu'elle avait suivie de fort près) avait envisagé de porter à l'écran *La Dernière Leçon*.

Elle m'avait fait rencontrer Sólveig Anspach dont l'extrême sensibilité semblait pouvoir convenir, selon elle, à un tel sujet.

Je connaissais les films de Sólveig et j'avais été particulièrement épatée par son *Haut les cœurs,* où Karin Viard se bat contre un cancer, un film sans pathos, malgré l'intensité du propos, remarquable pour cette raison même. Je garde un souvenir aigu de la conversation que nous avons eue sur une adaptation possible du livre.

Il lui paraissait probable que le film ne puisse pas se concevoir, à l'instar de mon récit, comme un face-à-face mère-fille. Il était donc question d'une famille. Mais quelle famille ? Ne l'avais-je pas volontairement éludée ? N'avais-je pas promis, précisément, à ma sœur et mes deux frères, avant de me lancer dans l'écriture de *La Dernière Leçon,* de ne surtout pas les évoquer, par respect de leur intimité ? Mon récit ne devait concerner que ma propre histoire, chacun de ces quatre enfants ayant vécu la sienne.

Une famille fictive, alors ? Mais comment concilier la réalité et la fiction ? Comment concilier l'absolue authenticité de mon récit, si personnel, et la présence hybride « d'étrangers » ? La conversation fut longue, et pour moi étrangement douloureuse.

À chaque proposition de Sólveig, j'aspirais à l'inverse. Toute embardée par rapport à mon texte m'effrayait. La chose et son contraire, c'était cela que je voulais ! Autant dire que je ne voulais rien... Je pense que Sólveig l'a perçu.

À la fin de l'après-midi, secrètement, j'avais compris.

Impossible pour moi de lâcher le livre, de m'en éloigner, ne serait-ce que d'un pas. Je ne voulais rien d'autre que ces mots, pesés, un à un, sur la balance de mon âme, habitée mais tranquille. Rien d'autre. J'étais en paix, et avec la mort de ma mère et avec ce récit que j'en avais fait, inséparable de moi, organiquement confondu avec moi-même.

Quelques jours plus tard, Martine, qui avait tout saisi, s'est chargée de la tâche ingrate d'en avertir Sólveig.

Pour longtemps donc, et pour mon éditeur aussi, il allait de soi que je ne voulais pas d'adaptation. Du moins au cinéma, puisque, quelques années plus tard, fut accepté le principe d'une adaptation théâtrale de *La Dernière Leçon* qui, sans offenser personne, reprenait le texte du récit sous la forme d'un dialogue avec une mère astucieusement représentée par une marionnette !

Quand même, au travers de l'actrice, Catherine Rétoré, qui a porté mon texte avec justesse et talent, j'avais déjà touché du doigt ce que pouvait être une forme de dépossession dont il va être beaucoup question ici. Déjà, j'avais frôlé la bizarrerie d'un décrochage, d'une sorte de scission entre moi et moi. Des sensations, des émotions qui m'avaient appartenu et qui « habitaient » une autre sous mes yeux. Mais la présence de mon texte, de ces mots qui demeuraient miens, me rassurait. Les mots, mes mots, me restaient. Rambarde. Ce que je peux dire de cette première dépossession, c'est qu'elle fut sans douleur cette fois. Signe que j'avais changé... Suffisamment ?

Un récit bis allait-il voir le jour ? Pas encore décidé, ni conscient, il faisait son chemin souterrainement.

★

★   ★

À Pascale Pouzadoux, j'avais dit « oui », mais un « oui, mais ». Ce « mais » tenait à la condition que, cette fois encore, ma sœur et mes deux frères acceptent l'idée d'un film. C'était de nouveau pour eux, pour moi, un préalable.

J'ai donc demandé à Pascale de patienter quelques semaines, le temps de consulter chacun, d'obtenir leur blanc-seing.

Je l'ai obtenu sans mal (avec enthousiasme même de la part de ma sœur, ce dont je ne doutais pas. N'avions-nous pas cheminé ensemble dans les trois mois du compte à rebours de la mort annoncée de notre mère ?), en invoquant, en particulier, l'argument incontournable qui importait tant à notre mère : le film pourrait amplifier l'écho philosophique et citoyen de son geste qu'elle avait souhaité rendre public, pour l'exemple, cette philosophie dont j'ai repris le flambeau depuis des années. Mais il est précisé, surtout, que si famille il y a, celle-ci restera la plus éloignée possible de la nôtre afin qu'il n'y ait aucune ambiguïté sur des identifications éventuelles.

On verra combien cette exigence – légitime – sera respectée, parfois jusqu'à l'extrême, tant au niveau du scénario que du casting.

Qu'il soit clair, par conséquent, que *La Dernière Leçon* au cinéma sera « librement adapté » du livre.

Je me rends compte, en écrivant ces lignes, que tout va se jouer désormais autour du mot « librement ». Jusqu'où, jusqu'à quel point cette fameuse liberté ? Qu'en sera-t-il du consentement lorsqu'on bousculera, au plus intime, la vérité de ce récit, par tant de transformations, tant de protagonistes successifs ?

Confiante par principe, puisque me voilà prête, je ne sais rien, en fait, des effets sur moi de l'incroyable remue-ménage qui se prépare maintenant que j'ai dit : « Oui »...

Je pense au « oui » du mariage, « pour le meilleur et pour le pire ». Cela me fait sourire.

★

★   ★

Nous nous tournons autour, avec Pascale, dans un même mouvement astral. Nous sommes en rotation autour de ma mère. C'est bien ma mère qui actionne cette mécanique céleste et lente, ces translations réciproques, cette valse gravitationnelle. À travers elle, nous faisons connaissance, non sans timidité, Pascale et moi.

La précaution est de rigueur. Une prudence dictée par l'intuition. Il ne s'agit pas de froisser l'autre, mais de gagner sa confiance. Chacune sent qu'elle a tout à gagner de ces approches méticuleuses.

Je ne me suis pas trompée sur ce que signifie l'usure du livre, lu et relu tant de fois, tant de fois annoté : Pascale a avec ma mère un lien très personnel, d'une surprenante proximité. Il semble qu'elle la connaisse déjà de près, mais elle veut la connaître davantage encore.

Je comprends ce désir. Je le trouve normal, mieux · je l'encourage.

Je souhaite, moi aussi, que Pascale en sache plus, avec l'espoir – tiens, pourquoi dis-je « espoir », suis-je donc inquiète ? – que mieux elle cernerait ma mère, plus juste serait, à l'arrivée, le personnage à l'écran. D'ailleurs ma mère n'était-elle pas, par sa singularité, l'incongruité de son caractère, déjà un personnage ?

Pendant ces mois d'octobre et novembre 2012, j'ouvre donc, large, les portes et de mes armoires et de ma mémoire de fille, au-delà même de ce que j'avais imaginé.

Des après-midi entiers, je raconte à Pascale le livre et, de plus en plus, ce qui n'est pas dans le livre, car dans le livre non plus, je n'ai pas tout dit…

Elle écoute, prend des notes en quantité. Revient sur des points déjà abordés. Le portrait de ma mère s'approfondit. Je garde de ces confidences une impression de chaleureuse complicité.

« Vous voyez, Pascale ! Il est bien là, le bâton de ma mère sur lequel elle s'appuyait pour marcher, si difficilement. C'est un fermier, un ami des Cévennes, qui le lui avait taillé ! Il est à la place qu'elle avait choisie pour lui, auprès de ma cheminée, avec les sarments de vigne et la tapette à tapis qu'elle me suppliait d'emporter chez moi pour les sauver de l'oubli ! Et puis cela ! Et cela encore ! »

Et nous voilà, Pascale et moi, en promenade parmi les objets que je fais revivre pour elle, un à un. Des objets sans valeur marchande, mais si précieux pour ma mère et si semblables à elle pour cette raison même.

La promenade m'est douce. Pascale se laisse prendre par cette beauté évidente de la passation, de la transmission mère-fille à jamais intouchable.

Et vient le jour où, dans l'élan, j'ouvre un petit placard du meuble chinois de mon enfance. J'en sors un sac en étoffe d'où se déversent des masses de cheveux roulés, nattés, ou en chignon, d'un noir de jais au blanc neigeux, en passant par toutes les teintes de gris : « Les cheveux de ma mère », dis-je. Et je plonge avec ravissement dans cette matière enchanteresse, inaltérable, de mes mères successives, auxquelles j'ai joint mes nattes d'enfant, ainsi que les boucles de mon fils et celles de mes deux petites-filles.

C'est de toutes ces émotions, intactes, dont

je nourris Pascale. Je le dois. Il le faut. Sinon, comment approcher cette fusion mère-fille ? Comment comprendre que cette fille (moi) ait pu accepter d'elle (ma mère) une mort choisie, et qui plus est « accompagnée », dans un dernier geste d'amour ?

Pascale entre dans notre histoire. Je l'ai laissée faire. Complaisante.

Le point d'orgue de cette intrusion autorisée est sans doute le 5 décembre 2012, date anniversaire du départ de ma mère, où nous nous retrouvons, Pascale et moi, devant un plateau d'huîtres, levant nos verres – après avoir salué le courage de ma mère – au succès, cette fois, de notre projet commun, désormais inséparables.

Il est entendu que c'est Pascale, la réalisatrice, qui s'attellera à l'écriture du scénario. À aucun moment il n'a été question que je sois associée à cette étape du film, autrement que sous la forme décrite ici : ces tête-à-tête où j'apporte tout ce que je peux pour enrichir la personnalité de ma mère, l'alimenter sans cesse d'une nourriture dont je suis la seule, pour l'heure, à détenir les secrets. Je n'ai jamais émis l'idée de participer autrement au scénario, pas plus que Pascale d'ailleurs. C'était implicite entre nous. J'avais écrit le livre. Il se suffisait à lui-même. C'était mieux ainsi pour moi, à tous points de vue. Il me fallait cette distance prudente, nécessaire à la « libre adaptation » de Pascale.

Vient le jour où Pascale me propose de me lire quelques ébauches d'un début de scénario.

J'écoute.

Voilà, ça commence : la sensation d'entendre une histoire qui reste mienne et qui cependant ne l'est plus tout à fait. La « distance » souhaitée prend corps, troublante, mais pour l'instant supportable. J'allais dire : digérable.

Parallèlement je découvre, de l'intérieur – puisque j'occupe une place privilégiée dans cette transformation de la matière vivante que j'ai bien voulu donner –, le travail de scénariste. Passionnant. J'en mesure la difficulté à l'aune des longues semaines où Pascale se retire, par à-coups.

À cette étape-là de la fabrication, on ne peut s'empêcher, Pascale et moi, de se projeter dans un premier casting. Qui voit-on pour la mère, qui pour moi, au travers de ces premiers dialogues ? Les semaines passent jusqu'au jour où Pascale m'annonce l'arrivée d'un troisième partenaire : un coscénariste, Laurent de Bartillat, qu'elle a choisi. Voulu. Un intrus dans le gynécée ? « Nécessaire », me dit Pascale.

On quitte alors une forme d'intimité. Laurent nous rejoint avec son ordinateur. Autre pas dans la distance, la distanciation.

Les rencontres se font donc à trois, désormais. Laurent pose des questions. Fines, il est vrai, à mon grand soulagement. Le cercle s'agrandit parfois : il arrive qu'Antoine, mon fils – le « petit-fils » –, soit présent pendant ces discussions. Il garde le silence, mais pour moi qui l'entend penser, c'est un silence plein de non-dits qui sont des dits. Lui aussi en sait beaucoup, et sur sa grand-mère et sur mes liens particuliers avec elle.

De là naîtra mon idée de l'associer au projet. Pourquoi pas en envisageant ce qu'on appelle un making of (un film sur le tournage du film) puisque, professeur de philosophie, il est également à la tête d'une petite structure de production dans laquelle il a déjà réalisé lui-même ? Quoi qu'il en soit, cette éventuelle participation de mon fils à l'aventure n'est pas sans effet sur moi. De cette présence possible, je ne peux que profiter car, entre lui et moi, la complicité est, comme celle que j'avais, que j'ai toujours avec ma mère, inaltérable. À la même époque, un déjeuner se met en place avec les producteurs du film dont la maison se nomme Fidélité – tout un programme !

À cette occasion, je reviens longuement avec eux sur l'enjeu, pour moi, de ce film à venir. Je ne peux le séparer de sa dimension didactique. Cette histoire vécue, portée à l'écran, n'aura de sens que si, comme dans le livre, *La Dernière Leçon* – je tiens à garder le titre –, elle défend une double cause : celle d'un regard différent sur la mort et d'un débat à la fois moral et civique sur la fin de vie. Un débat dont on a tous conscience de la brûlante actualité. Olivier Delbosc, qui avait lu le livre depuis longtemps, en est d'accord, de même que Marc Missonnier avec lequel, à plusieurs reprises, je reviendrai sur cette exigence, qui sera toujours respectée – je lui en sais gré.

Nous sommes donc tous en phase dans l'aventure qui s'annonce. Chacun à sa place, chacun avec son ouvrage et, j'allais dire, sa conscience. J'ai fini la première partie du mien.

Le temps va jouer aussi la sienne, de partie. Un temps qui me paraîtra interminable et pendant lequel, heureusement, un *nouveau roman*, *Madame George*, est en cours. Un roman où il est question, justement, des chers disparus et de leur présence en nous, les vivants...

Ce travail va m'aider à tromper, autant que possible, une impatience grandissante.

★

★   ★

Ma mère partie, mon engagement sur la question de la fin de vie est né, je l'ai dit, naturellement, sans douleur, sans césarienne. Il aura fallu pour cela laisser le temps au temps.

Ne pas passer sous silence, cependant, les très lointains atermoiements, mes réticences d'hier. Remonter aux années 1980, lorsque, avec d'autres, mon père et ma mère œuvrèrent à la création de l'ADMD (Association pour le droit de mourir dans la dignité), alors plutôt confidentielle. J'avais 36 ans et bien que confrontée à la maladie et bientôt à la mort qui frapperait à notre porte précocement (mon mari François Châtelet allait nous quitter à peine cinq années plus tard), même si je comprenais le bien-fondé de cette association, je ne m'attendrissais pas pour autant – euphémisme – sur la nécessité de se préparer mentalement à une mort anticipée de mes parents.

« Tu sais, ma chérie, un jour… Pas maintenant mais un jour, lorsque je sentirai le moment venu… » Et ma mère évoquait un départ choisi, par elle, librement.

La « chérie » changeait de sujet de conversation et parfois, protestait, parlant même de torture inutile. Pourquoi m'en parler si tôt et si souvent ? « Mais c'est pour te familiariser avec ma mort, ma chérie ! » insistait ma mère, opiniâtre, pour ne pas dire têtue.

Inutile, la torture ? Aujourd'hui, je n'en suis plus certaine.

Il n'est pas impossible qu'à la manière d'un vaccin subtilement distillé dans ma tête de future orpheline, la sage-femme, l'infirmière, ait ainsi commencé son travail et le mien : l'apprentissage de la défusion mère-fille et la neutralisation possible de la peur qui s'y associe.

La mort s'apprendrait-elle tout au long de la vie ?

Encore une fois, je le crois. Aussi bien j'aborde volontiers le sujet, quand elle le demande, avec l'aînée de mes petites-filles âgée de 7 ans, l'âge métaphysique par excellence, où se pose et se repose ce genre de questions :

« Donc, tu vas mourir, Mano ?

– Oui, bien sûr, je vais mourir. Pas tout de suite, mais je vais mourir, ma chérie !

– Et j'aurai quel âge quand tu vas mourir ?

– Difficile de le savoir…

– Et ton collier ? Il sera à moi ?

– Oui, plus tard, quand je serai partie. Il sera à toi. Il est déjà un peu à toi d'une certaine façon. Il est à nous ! »

S'ensuit la valse rituelle de la transmission, cette danse que j'ai nommée, dans *La Dernière Leçon*, « la chorégraphie du deuil », dont les pas et la cadence s'apprennent, eux aussi, tout au long de la vie…

Étais-je, inconsciemment, un peu immunisée lorsque finalement je l'ai entendue, de la bouche de ma mère, la date de son départ choisi ? Cela se peut car les trois mois d'apprentissage du compte à rebours qui ont suivi n'auraient jamais suffi à permettre la sérénité qui me gagnera à mon tour dès son geste accompli.

On l'aura compris, le sujet de *La Dernière Leçon* est autant celui de l'initiation à la mort que celui du droit à mourir. Deux sujets à mes yeux indissociables et que je vais porter, autant qu'il est possible, moins comme un étendard que comme un flambeau, passant de mère à fille, pour une réflexion citoyenne et solidaire sur la fin de vie.

C'est ainsi que je me suis trouvée conviée, à la sortie du livre, à une assemblée générale de l'ADMD, impressionnante car singulièrement démultipliée depuis les années 1980, quand ma mère en était la marraine parmi d'autres personnalités notoires. Clin d'œil du destin ?

Présenter *La Dernière Leçon* là où elle avait commencé pour moi, loin en amont, n'était pas sans émotion. Il y avait là des compagnons de la première heure, des amis de ma mère, ceux à qui elle était allée dire adieu ou à qui elle avait écrit avant de mettre fin à ses jours, qui gardaient d'elle l'image lumineuse d'une stoïcienne alliant courage et simplicité. Plus que jamais, ce jour-là, en faisant le récit de cette odyssée, en tout point exemplaire pour ceux et celles qui m'écoutaient et en faisaient leur miel, cette leçon sur la mort qui ressemblait surtout à une leçon de vie, un hymne à la vie, j'ai senti ma mère présente à mes côtés. Encore une fois nous parlions d'une seule bouche et l'assistance, vibrante, en était toute chavirée, je le voyais.

Je suis alors entrée à mon tour dans le comité de parrainage de l'ADMD, nouveau-née d'un combat qui se mène pour moi de mère en fille.

★
★ ★

Ils ont disparu. Pascale et Laurent ont disparu. Leur ai-je bien *tout* dit ? Ai-je *bien* dit ?

Des mois vont passer. Au téléphone, Pascale me rassure : « On travaille ! », puis : « On retravaille ! ».

À notre dernière rencontre, nous avons reformulé les points essentiels qui doivent déterminer le sens du film, et surtout, sa tonalité. Une référence possible reste le film franco-québécois écrit et réalisé par Denys Arcand : *Les Invasions barbares*, une comédie dramatique sur une mort choisie, où l'humour et l'absence de pathos constituaient un principe de base, sans pour autant, et c'est l'essentiel, interdire l'émotion. Le message du film de Pascale devra, comme dans mon récit, privilégier la relation mère-fille face à la mort annoncée, et la complicité grandissante qui va les unir jusqu'au bout, jusqu'au geste final de la mère. L'accompagnement réciproque de l'une par l'autre destiné à exorciser la dimension tragique de ce compte à rebours implacable.

Mais il faudra au scénario ce qui n'était pas dans le récit (comme je l'ai dit plus haut), une série de personnages – surtout les membres d'une famille – qui tous, individuellement, incarneront, à leur façon, les sentiments contradictoires qu'une telle situation dramatique suscite. Jusqu'où ? Jusqu'à quel degré, pour moi, de regret et d'incompréhension ? C'est toute la question. Celle qui me préoccupe tandis que, sans moi, s'écrit le scénario « librement adapté »...

Heureusement, nous en avons convenu dès le départ car j'y tenais par-dessus tout : *ma* mère, *la* mère, Madeleine (c'est son nom dans le film), sera, comme dans la réalité, sage-femme.

Un métier spécifique, intimement associé à la condition humaine, où la vie et la mort se donnent la main, inéluctablement. Quant à moi, *sa* fille, *la* fille, Diane, je demeurerai professeur, ce métier choisi, aimé, qui fut le mien et que je ne sépare pas, non plus, de la maïeutique qui s'opère au travers de la transmission, l'accouchement des esprits.

Enfin, ainsi que le titre l'indique, la dernière « leçon » devra apparaître comme l'aboutissement de toutes les « leçons » de vie reçues depuis l'enfance. Ultime apprentissage que celui-là, ritualisé dans un deuil vécu en commun, avant la mort, pour qu'il ne soit plus à faire, après.

Oui, le cap a été fixé. Pascale a bien en tête toutes ces considérations. Je lui fais confiance, certes, pour les respecter. Mais un scénario a ses exigences propres, ses aléas, je ne l'ignore pas. Devra-t-elle transiger sur le rythme, la graduation du film liés à d'autres exigences que l'écriture elle-même ?

En tout cas, moi aussi, j'ai disparu pour les scénaristes. Ils ont d'autres chats à fouetter que mes états d'âme. À cette étape de leur travail, ils doivent m'oublier. Seule la matière première

que j'ai partagée avec eux, rencontre après rencontre, perdure. Mais c'est du matériau, rien de
plus. À transformer pour les besoins d'un film.
Bref, je me sens devenue inutile. Pire : exclue.

Laurent me racontera plus tard, le film
tourné, ce qu'il en fut, pour eux, de ces longs
mois d'écriture et de réécriture d'un scénario
plusieurs fois annoncé dans sa forme définitive
et plusieurs fois repoussé de 24 heures, d'une
semaine, de deux semaines, d'un mois...

Enfin, en septembre 2013, le voici dans
ma boîte aux lettres. Antoine a reçu son propre
exemplaire qu'il lira avant moi, car en ce qui
me concerne, j'en suis incapable ! Le trac me
paralyse, le scénario restera sur mon secrétaire
plusieurs jours sans que je puisse l'ouvrir. Après
l'impatience, c'est l'appréhension. Je sais que
le film est là, entre ces pages, et que ce sera
celui-là. Il est *écrit* ! Par d'autres que toi ? Oui
d'autres que toi ! À cette réalité nouvelle, il va
falloir s'habituer. D'où le refus presque enfantin
de l'approcher.

Mon compagnon, Uli, l'a déjà lu également :
« J'ai été ému. Tu le seras aussi, je pense », me
dit-il. C'est tout.

Le week-end suivant, j'emporte le scénario dans mes bagages. Je suis invitée à un club de lecture à Vittel. En lisière d'un bois qui jouxte les anciens thermes, dans la lumière chatoyante de l'automne, je cueille une feuille de marronnier que je glisse en première page du scénario toujours inexorablement fermé, jusqu'au lendemain.

Dimanche 22 septembre 2013.

Retour vers Paris. Je sors le scénario de mon sac. La feuille de marronnier a pris une forme parfaite et encourageante, comme dans les herbiers de mon enfance, dont j'avais la passion. C'est bercée par le balancement d'un train Corail presque vide, dont les roulements réguliers semblent accompagner ma lecture fiévreuse, que je découvre le scénario du film.

L'écriture scénaristique ne m'est pas inconnue.

Pour avoir quelquefois été comédienne, pour la télévision et le cinéma, j'en connais le principe. La forme particulière de cette succession de séquences numérotées avec l'indication de moments et de lieux me parle : *1 Int. Jour*

– *Voiture Madeleine* sera ici la première scène du film. *134 Int. Jour – Cage d'escalier Madeleine*, la dernière. Entre les deux, donc, toute l'histoire calibrée à l'intention de tous ceux qui participeront, quelle que soit leur place, au tournage.

Chaque scène signale au lecteur la situation matérielle dans laquelle va se dérouler l'action à venir, non seulement concrètement (lumières, décors, costumes, accessoires), mais encore psychologiquement. Il en est de même pour les dialogues, eux aussi agrémentés parfois de remarques relatives à l'état d'esprit, l'humeur, l'intériorité des personnages.

L'écriture d'un scénario est, on le voit, d'une précision rigoureuse et permet au lecteur, qui en connaît les codes, de suivre le déroulement du film et d'en saisir le projet ainsi que la tonalité. *Lire* un scénario, c'est *voir* un film. J'insiste sur ces considérations pour justifier les raisons de mon appréhension : je sais que le scénario *est* le film. Une « projection », déjà, de ce que sera l'objet final, même si nous ignorons tout encore du casting, de celles et ceux qui incarneront les personnages et la spécificité de la mise en scène. Le scénario s'ouvre sur ma mère – puis-je encore dire *ma* mère ? Oui, puisque personne d'autre qu'elle, pour le moment, n'interfère. Aucun autre visage ne se substitue au sien. Une vieille dame toute simple, au volant de sa petite R5 toute simple. Avant de démarrer, elle relit un papier qu'elle fourre dans sa poche. Ce qu'on ignore encore, c'est que, sur ce papier, elle a écrit les quelques phrases qu'elle va prononcer, tout à l'heure, chez ses enfants, après avoir soufflé les 92 bougies de son anniversaire. C'est le jour dit de l'Annonce.

Dans mon livre, le récit débutait sur cette *Annonce*, cet incipit, cette première phrase couperet : « Ce sera donc le 17 octobre. » Ma mère va annoncer la date de sa mort choisie (qui finalement sera repoussée), à la table familiale solennisée, sublimée par la fête en son honneur.

Le film commencera ainsi, lui aussi, sur cet instant fatal, ce coup de théâtre à l'antique, funeste. Cette déflagration, comme dans le livre ? Non, pas tout à fait, puisque, avant la déflagration, il y a ici dans le scénario cette fameuse séquence de la voiture. Une séquence combien importante, pour ne pas dire déterminante, pour l'Annonce elle-même... Une séquence où l'on assiste à quelque chose de banal en apparence, mais qui va devenir essentiel, éminemment symbolique. On y voit, en effet, la vieille dame qui soudain cale au volant de sa R5, en plein carrefour, et cède à la panique sous les quolibets qui fusent de toutes parts : « Danger public ! », « Essaie le fauteuil électrique, la vieille ! », etc.

N'a-t-on pas là, en raccourci, tous les ingrédients qui associent l'extrême vieillesse au bannissement social ? Un début pour moi, en tout cas on ne peut plus signifiant, car aussi bien, j'insiste dans le livre sur la place symbolique qu'occupait la voiture dans la vie de ma mère. Sa voiture, l'emblème de son autonomie, l'image même de sa liberté, à laquelle elle va renoncer bientôt dans une première étape nécessaire de son adieu au monde.

En faisant précéder l'Annonce de cette séquence plus efficace que n'importe quel discours, la réalisatrice délivre un premier message : Et si elle avait raison la vieille dame, Madeleine, d'interpréter cette banale défaillance au volant comme le signe que, oui, effectivement, il est temps pour elle de partir ?

Voilà comment s'installe dans l'esprit du

futur spectateur un début d'empathie qui jouera son rôle au moment de l'Annonce, comme dans le restant du film ! Ce que va dire la mère à ses enfants tout à l'heure est certes cruel, mais n'est-elle pas tout aussi cruelle, la sensation de l'extrême vieillesse quand, de surcroît, les autres la soulignent aussi peu fraternellement ?

Voilà la force de l'image, son pouvoir singulier sur un spectateur à qui on propose un chemin à faire pour accepter, bientôt, l'inacceptable.

Quoi qu'il en soit, mon appréhension est tombée, car le ton est donné. On est devant une double évidence : l'extrême vieillesse peut devenir insupportable, pour ne pas dire honteuse, et la vieille dame est bien déterminée à en tirer les conséquences pour elle. L'annonce de sa mort choisie s'en trouvera-t-elle davantage légitimée pour le spectateur ? C'est possible.

Maintenant, je sens que je peux commencer à lire.

Une lecture avec des instants d'intense jubilation, mais aussi des mouvements de recul face à l'étrangeté du récit où sont contées des anecdotes si éloignées de ma propre histoire que je peine à m'y retrouver. Et puis, par-dessus tout, cette nouvelle famille, tous ces nouveaux personnages qui entourent Madeleine, il me faut les accepter, leur céder la place. Oublier ma propre famille, mes proches à moi. Une gymnastique mentale déroutante, à laquelle je m'étais préparée, mais qui, cette fois concrétisée, me désarçonne.

Qui sont ces inconnus, ces êtres fictifs, ces intrus que je découvre autour de ma mère au fil des pages ? Que viennent-ils faire dans notre intimité ? Et pourquoi s'expriment-ils si différemment de moi, de nous, de notre famille réelle ? Suis-je encore moi-même, et cette mère, ma mère, dans cette nouvelle et étrange configuration ?

Il ne s'agit, cette fois, ni de décrochage, ni de bizarrerie. Ce que je lis m'est trop familier pour m'être étranger, mais trop étranger pour m'être encore familier. Je ne trouve pour exprimer ce curieux sentiment que le terme de dédoublement. Oui, c'est cela. Je « lis double » comme on dit je « vois double » sous l'effet d'un trouble de la vision. Avec Diane et Madeleine, nous sommes, ma mère et moi, comme démultipliées. Nous sommes quatre en réalité à partager désormais cette histoire, dont deux n'ont toujours pas de visage !

Cette lecture, extrêmement inconfortable pour ma raison, je ne peux cependant pas m'empêcher de la trouver excitante sur le plan intellectuel, car connaissant parfaitement la matière dont fut nourri le scénario, à la fois par le livre, *La Dernière Leçon,* mais aussi grâce aux échanges que j'ai eus avec Pascale et Laurent, j'apprécie la dextérité avec laquelle ils ont, ensemble, « digéré » cette nourriture, cette matière sensible, pour enrichir leur propre récit ou faire rebondir l'action. Ici et là, je reconnais dans les dialogues des phrases ou des expressions de mon livre, même si elles n'arrivent pas forcément pour moi là où je les attends. Souvent, je repère comment les détails de la personnalité de ma mère, confiés il y a un an, ont été habilement exploités à des fins dramaturgiques.

Tout en lisant, je commence à prendre des notes. Je me fais un inventaire, comme Roland Barthes, non sans autodérision, dans *Roland Barthes par Roland Barthes,* égrène la liste de ses goûts et de ses dégoûts, bien avant qu'Internet s'empare du procédé pour juger de l'intérêt d'un livre ou d'un spectacle, ainsi que cela se pratique aujourd'hui, impitoyablement. Je rédige donc une liste des choses que « j'aime » et une autre des choses que « je n'aime pas », autant sur des questions de fond que de forme, quand le décalage avec le réel est par trop choquant.

Petit à petit, je m'habitue à la nouvelle configuration. Je fais davantage connaissance avec les « intrus », dont certains sont des prétextes, je l'ai dit, à incarner la complexité du débat sur la fin de vie.

Il me faut faire des efforts tout particuliers avec le personnage de Pierre, le frère de Diane, définitivement hostile à la décision de sa mère, jusqu'à l'outrance parfois, qui fera tout pour contrecarrer son projet de mettre fin à ses jours. Il est si peu crédible, à mes yeux, si peu semblable à la réalité de ma fratrie ! J'y reviendrai...

Dans le récit que j'avais fait des trois derniers mois du compte à rebours de la mort choisie de ma mère, les quelques scènes que je considère comme incontournables sont bien là – quoique transfigurées –, Pascale savait leur importance, et pour moi et pour l'intérêt dramatique de cette histoire hors du commun, mais d'autres, totalement fictives, s'y ajoutent (comme cette scène où Madeleine accouche une jeune Kurde, sur un banc, aux urgences de l'hôpital). Des coups de théâtre tellement vraisemblables, cette fois, qu'il me semble qu'ils ont existé. Le portrait de ma mère se précise. Ce qu'elle fut, ce qu'elle est. Une vieille dame frondeuse, militante, animée d'un enthousiasme pour les choses de la vie, y compris sa propre mort – qui interloque et force l'admiration. Celle qui note sur un petit carnet bleu la liste de ses défaillances au-delà desquelles elle ne veut pas aller. Elle est bien là, celle qui, à 85 ans, en pleine nuit, taguait le Franprix voisin pour prix abusifs ! Cette Ma Dalton, à l'humour, à la gaieté irrépressibles, me revient, mais surtout, page après page, scène après scène, je me laisse gagner par ce nouveau compte à rebours, gradué autrement, dans un autre langage, où l'horloge du temps, inexorablement, joue son rôle d'horloge, jusqu'au geste final de ma – **la** – mère. On en perçoit le tic-tac impitoyable au travers des rêves, des cauchemars de Diane et les fréquents flash-backs vers l'enfance.

Je ne sais plus trop bien, au fur et à mesure que j'avance dans ma lecture, si c'est de nous, ma mère et moi, qu'il s'agit, mais cette mère et cette fille nous ressemblent fort. Elles ont en commun cette grâce de l'amour qui va leur permettre d'aller jusqu'au bout de ce qu'elles ont à vivre ensemble. Diane se transforme, comme moi-même je me suis transformée, semaine après semaine, jour après jour, seconde après seconde, passant de l'incompréhension à l'acceptation par toute une gradation de sentiments dont la mère suit patiemment la progression naturelle, comme pour une mise au monde. Patiemment, et dans le rire aussi. Le rire surtout. Un rire qui illumine et permettra au film d'éviter le mélodrame. Pas plus de pathos ici que dans l'histoire vraie. N'est-ce pas ce dont nous avions convenu, Pascale et moi ? Que la leçon, la « dernière leçon », celle de la défusion mère-fille, s'accomplisse main dans la main, sans autres larmes que celles de l'émotion à être une fois de plus ensemble, comme depuis toujours, pour l'accomplir ? Que le deuil se passe ainsi *avant*, je l'ai dit, pour n'être plus nécessaire après. Oui, ce sont bien ces messages fondamentaux que le futur film reprend, à sa façon, dans une tension semblable à celle que j'ai vécue, jusqu'à l'apaisement.

Cette métamorphose de la fille, guidée, tenue d'une main ferme, par sa mère, a bien lieu. Elle se décline sous une autre forme, avec d'autres protagonistes, mais avec la même époustouflante évidence. Oui, la mort s'apprend. Elle s'apprend, comme la vie. Elle en fait partie. La mort est vivante.

C'est bientôt la fin. Et de ma lecture et de l'histoire. Est-ce une impression ? Diane et Madeleine semblent s'être substituées totalement à ma mère et à moi.

Le moment attendu et redouté arrive sur moi : grâce à une lumineuse chorégraphie de plans alternés, on voit Diane, dans sa cuisine, préparer un riz au lait, tandis que, là-bas, dans une autre cuisine, au même instant, Madeleine, sa mère, écrase ses cachets, un à un, dans un mortier africain...

Les larmes qui me viennent alors, pour qui donc sont-elles ?

★

★   ★

Je téléphone à Pascale dont j'imagine qu'elle attend mes réactions avec impatience. Je n'ai que trop tardé déjà. Je prononce un seul mot : « Justesse. » Je passe sous silence mes « je n'aime pas » pour me concentrer sur ce qualificatif, pour l'heure essentiel.

Ce mot de « justesse » la touche. C'est bien. Elle le mérite, si je puis dire. Rendez-vous est pris pour une rencontre « au sommet » avec la production afin de faire le point, plus en détail, avant l'acceptation définitive du scénario.

Le matin de la réunion, je reprends le texte. Je me prépare à dire et à ne pas dire. Je relis mes notes et, au hasard, quelques scènes du scénario. Sorties du contexte, à froid, certaines d'entre elles, souvent au niveau de la forme, du ton, des dialogues, rejoignent les « je n'aime pas »...

En arrivant à la production, chamade. Sentiment d'irréversibilité. Impossible d'arrêter le processus. Le film se fera. Quel qu'il soit. Ce n'est pas le moment de se demander si c'est heureux ou non, mais je me le demande en sonnant à la porte. Il y a là les deux producteurs. Marc Missonnier, Olivier Delbosc, ainsi que Laurent de Bartillat, le coscénariste, et Pascale évidemment.

Surprenant : je serai plus abrupte pendant cette réunion que je ne l'aurais souhaité. Après avoir loué la fameuse « justesse » du scénario et insisté sur les « j'aime » qui semblent ravir tout le monde, j'aborde les « je n'aime pas ». Catastrophe ! Je prends, malgré moi, mon ton de professeur devant une copie d'élève.

« Non, *je n'aime pas* la manière dont on s'exprime dans ce film ! L'abondance des jurons, le systématisme d'un langage relâché me posent problème ! Ce n'est pas que je sois prude, mais je trouve cela artificiel, pour ne pas dire racoleur ! Idem avec mes élèves. Je n'ai jamais tutoyé mes étudiants en 37 années d'enseignement ! Diane est trop familière avec eux. Et puis ma mère avait horreur de la grossièreté. On ne parlait pas ainsi dans notre famille ! »

Tous me regardent, ébahis. J'ai tout simplement oublié que cette famille fictive n'est pas la mienne. C'est une autre, avec son vocabulaire à elle. Laurent de Bartillat intervient, un brin moqueur : « Si c'est du Marivaux que vous voulez... » Je me radoucis. Demande qu'on trouve un *juste* milieu, qu'au moins la – ma – mère ait un langage plus châtié ! Elle d'abord. Elle surtout...

Ensuite j'en arrive à des considérations sur le fond. Et là, de nouveau, je me lâche : « Non ! Pierre ne peut avoir subtilisé à sa mère les médicaments qu'elle avait si patiemment mis de côté, année après année, pour accomplir son geste. Non ! Sa rage contre sa sœur Diane est disproportionnée. Et non ! Le mari de Diane ne peut pas être si violent à l'égard de sa belle-mère, si peu empathique. Il doit éprouver aussi beaucoup de tendresse pour elle. Et puis non, je n'ai pas aidé ma mère à reconstituer son stock de cachets ! J'accompagne son geste mais je n'y participe pas ! Je n'ai pas œuvré active-ment à sa mort ! Et puis non ! Je n'ai pas de malaise dans ma cuisine, dans la scène du riz au lait. Non ! J'étais forte. En paix déjà. C'est important ! C'est ainsi que ça s'est passé. Enfin, à propos de la "scène de la chemise de nuit", cette scène devenue pour moi anthologique, celle qui a décidé du livre, il n'est pas possible qu'elle soit différente de ce qu'elle fut. Elle est trop belle ! Trop forte ! Trop... Cette scène, pourquoi ne pas la reprendre telle quelle ! Telle que je l'ai vécue et écrite ! Impossible de faire mieux que cette réalité-là ! » Je m'exalte. Me voilà qui sors de mon sac *La Dernière Leçon* et, devant l'assemblée médusée, je lis ce passage de mon livre avec une émotion, un emportement incontrôlables.

La réalité me rattrape. Ce que j'ai vécu me rattrape. Une sorte de panique soudain à voir ma vérité, notre vérité, à ma mère et à moi, nous échapper, par des artifices de mise en scène qui faussent le réel. Le tordent. Le... trahissent ! Voilà le mot lâché : trahison !

Cette trahison, cette distorsion du réel, m'est simplement insupportable et je sais pourquoi, bien sûr. Elle serait peut-être moindre s'il s'était agi d'un roman − encore que −, mais cette histoire, devenue récit, c'est dans sa vérité, précisément, qu'elle est gravée en moi, au détail près, à la nuance près, des voix, des gestes, des regards échangés.

Vérité intouchable que le livre, avec mille précautions, s'efforçait de garder intacte, pure.

Je referme mon livre fébrilement. Silence pesant. Je me sens nauséeuse. J'ai tout faux.

L'impression d'être prise à mon propre piège, un piège que je me suis fabriqué sciemment, en toute conscience. Je nous revois Sólveig Anspach et moi, en tête à tête, tâchant en vain de concilier l'inconciliable, la chose et son contraire, jusqu'à renoncer. Trop tard : le renoncement n'est plus de mise. La machine est en marche. Je suis seule. Seule contre tous à vouloir l'impossible : cette scène de la chemise de nuit à jamais perdue. Si Pascale est un peu en retrait, n'a rien manifesté, Laurent de Bartillat prend des notes. Comprend-il ? Un jour je lui poserai la question...

Je me suis calmée.

Nous concluons la réunion sur mes « j'aime » presque joyeusement et discutons surtout d'un possible casting. On parle de Sandrine Bonnaire pour Diane. Le nom de Gisèle Casadesus, idée première pour endosser le rôle de ma mère, est réévoqué et, surprise, on me charge, puisque je la connais un peu, de lui rendre moi-même visite. J'en suis toute bouleversée.

Quand nous nous retrouvons sur les Champs-Élysées, Pascale et moi, je me sens un peu honteuse. Va pour un thé ! Mélancolique, le thé : Pascale s'inquiète pour la lourde tâche qui l'attend

et moi pour la possible défiguration de ma mère.
Chacune ses alarmes secrètes... Avant de nous
quitter, ce pacte entre nous : ne montrer à personne notre fragilité !

★

★   ★

Le lendemain, Marc Missonnier m'appelle
de la production. Gentiment mais fermement,
il revient sur la réunion en m'invitant à ne pas
oublier que Pascale est, au même titre que moi,
un auteur, l'auteur du film, si je demeure celui
du livre. C'est ainsi.

« Il faut la ménager, car tout repose sur
elle dorénavant », m'explique-t-il. Je comprends
qu'un combat s'annonce pour que le film existe
un jour. Il ne s'agirait pas de le rendre plus
difficile encore avec mes émois, je l'admets
volontiers. Gentiment, fermement.

Et puis une tâche m'attend, autrement décisive : ma visite à Gisèle Casadesus.

Dans la nuit, cette perspective m'a guérie
de ma mélancolie d'hier. Le visage de Gisèle
Casadesus, comme mère possible, m'a singulièrement apaisée. Pourquoi la production m'a-t-elle

confié cette tâche ? Par facilité ? Je pense plutôt par attention car j'apprendrai plus tard, par Pascale, que c'est bien rarement qu'on propose à l'auteur d'un livre adapté au cinéma de se rendre personnellement auprès de telle ou telle actrice potentielle. J'y vois alors un geste de complicité, aussi, signifiant que cette histoire m'appartient bien encore, qu'elle est encore mienne. Une réponse à mon affolement d'hier ? En quelque sorte, oui. Mon récit a disparu, certes, transmué dans un autre, rendu presque méconnaissable par l'irruption de personnages qui bouleversent ma vérité, mais je demeure la toute première par qui... À jamais celle-là qui l'a vécue, cette histoire, unique, comparable à aucune autre et qui en a fait don.

Don sans commune mesure avec celui que j'avais fait en permettant l'adaptation théâtrale de *La Dernière Leçon*, si soucieuse du texte original, à la virgule près. Je me souviens encore une fois d'avoir vécu sans violence l'intrusion de Catherine Rétoré, sur scène, portant ce texte avec raffinement, et combien la présence de mes propres mots, remparts à ma raison, à mon intégrité, m'avait préservée du « voir double » et de son vertige…

★

★   ★

Rien ne sera plus sincère que mon rendez-vous avec Gisèle Casadesus ! Le 26 octobre 2013.

Gisèle m'attend chez elle, à dix minutes à peine de chez moi. Des fleurs s'imposent. Hésitation : une orchidée ou des lys ? Les fleurs qu'invariablement j'offrais à ma mère. Ce sera une brassée de lys, pour l'arôme. Et l'espérance.

Gravé dans la mémoire, cet après-midi à Barbès. Je connais déjà ce beau visage de centenaire, croisée ici et là. Cette très vieille dame, spontanément élégante, pétulante, imposant aussitôt le respect, avec laquelle j'échangeais des mots toujours personnels, pour ne pas dire amicaux, sur fond de liens familiaux anciens.

Impression de visiter une proche, mais pour un projet tellement peu ordinaire que le cœur bat fort quand je sonne à sa porte.

Gisèle ignore la raison de ma venue. Elle sait que je *dois* lui parler de quelque chose.

C'est tout. Pressent-elle ce quelque chose dont j'ai précisé que c'était important pour moi ?

La nature m'a faite spontanée – pour le meilleur et pour le pire : je vais droit au but. Je dis tout. Ma mère, sa mort choisie. L'apprentie que je fus à l'école de la mort. Et le livre. Et mon combat sur la fin de vie. Et le film, maintenant, comme un prolongement naturel, nécessaire. Enfin, le désir que j'aurais de la voir, elle, Gisèle, pour le rôle de cette mère, dans la lumière de l'amour partagé.

Gisèle m'écoute, tranquille, yeux clairs fixés sur les miens qui ne cillent pas. Ma mère n'avait-elle pas cette attention, ce regard sage et confiant quand l'essentiel se vivait entre elle et moi ?

J'ai fini. À elle ! Oui, elle connaît notre histoire. Non, elle n'a pas lu le livre. Pas osé. Oui, elle est touchée de ma requête. Oui, elle a conscience que ma demande va au-delà d'un simple rôle, bien sûr, et... et ? Et elle ne dit pas non.

Les lys dans leur vase assistent à ce dialogue que nos mains prolongent dans la sincérité du partage. Le temps nous est témoin de la profondeur, de l'intensité de notre échange sur la mort. Fondamentalement croyante, Gisèle en analyse la complexité. Moi, athée, mais sensible à la communion des esprits, j'en évalue les mystères. Nous sommes au plus proche.

Gisèle m'avouera que, si le geste de ma mère lui paraît aussi respectable qu'admirable, elle ne l'imagine pas pour elle-même. Ce n'est pas ainsi qu'elle conçoit sa mort... « Mais je peux le jouer, vous savez ! C'est mon métier ! » conclut-elle, pleine de cet humour dont elle use si bien.

J'ai apporté *La Dernière Leçon*. J'aimerais qu'elle le lise, avant même le scénario et une rencontre éventuelle avec Pascale, qu'elle découvre cette histoire dans sa vérité, par moi *d'abord*. Moi *surtout* ? Le scénario et le livre seraient-ils en rivalité ?

Je dis bien « éventuelle » car je me dois de le préciser à Gisèle, la décision finale ne m'appartient pas. Elle connaît. C'est son métier, cela aussi, les aléas d'une production...

Quand je dévale les rues depuis Barbès jusque chez moi, je suis poursuivie par le visage, la voix, les gestes de Gisèle. Ils se confondent avec le visage, la voix, les gestes de ma mère. C'est le bleu qui domine. La couleur préférée de ma mère.

★

★   ★

Le 2 novembre 2013, date annuelle et rituelle de l'ADMD, pour honorer à notre façon la fête des morts, notre rassemblement a lieu, cette année, place de la République. Cette République, nous allons tous l'invoquer en nous adressant, une fois de plus, à nos législateurs. Liberté. Égalité. Fraternité.

Meurt-on dans la liberté, l'égalité et la fraternité au pays des droits de l'homme ?

De nouveau, c'est ma mère qui inspirera ma propre intervention à la tribune. Elle est toujours là pour prendre la parole avec moi, me souffler les mots qui s'imposent. Elle m'habite dans ces moments, la pionnière de l'ADMD que certains, encore une fois, retrouvent, paraît-il, en moi... Une présence-absence qui prend corps par ma voix.

Je ne dis rien du film à venir. Il est encore trop tôt. Mais soudain, dans le halo bleuté qui m'entoure et flotte sur l'assemblée toujours fervente, année après année, le visage de Gisèle interfère, me fait signe...

De cette première rencontre avec elle, j'ai fait à Pascale un récit enthousiaste. Mais je ne mesure pas encore tout à fait les exigences d'un casting et je suis surprise des questions que Pascale me pose – et se pose – déjà sur le grand âge de Gisèle Casadesus – il est vrai qu'elle est dans sa centième année – car, pour le personnage de Diane, l'éventualité d'une Diane plus jeune que moi se concrétise...

Même si Pascale m'appelle pour de fidèles comptes-rendus, je sens que le casting se heurte à des contraintes qui ne sont plus maintenant de mon ressort. Les impératifs de la production et de la distribution s'y ajoutent, autrement complexes, comme ceux relatifs aux assurances. Gisèle est-elle toujours pressentie ? Suis-je hors jeu de nouveau ?

La réponse à cette dernière question me viendra bientôt de ma mère.

Le 22 novembre 2013, émoi dans les médias français. La raison ? Un fait divers qui va bien au-delà du fait divers puisqu'il touche tout le monde : on apprend que Georgette et Bernard Cazes, un couple d'octogénaires notoires, ont choisi de quitter la vie ensemble. Ils se sont donné la mort dans une chambre de l'hôtel Lutetia, à Paris, là où, en 1945, Georgette avait retrouvé son père après cinq ans de captivité en Allemagne. Comme pour boucler la boucle, ce suicide programmé, mis en scène d'une façon romantique, stoïcienne et hautement symbolique, fait revenir à la une la question de la mort choisie chez nos aînés, si récurrente, si sensible par l'empathie qu'elle génère, presque toujours, dans notre pays, depuis tant d'années.

Une mort exemplaire, là encore (qui fut précédée et sera suivie de tant d'autres !), revendiquée par ce vieux couple qui a laissé un message clair sur un geste à la fois amoureux et politique. On choisit, oui, de mourir ensemble, comme on a vécu, parce que le moment est venu, tout simplement, de tirer sa révérence. Et de le faire en beauté, pour que chacun, chacune de nous, se projette autrement dans le mourir. Un dernier acte de vie pour un message citoyen qui soulève la question du suicide assisté, encore absent de la législation française. Une absence que les Cazes dénoncent d'ailleurs au nom du « non-respect par l'État français de la liberté du citoyen quand ce dernier souhaite, sereinement, quitter la vie » dans une lettre adressée, en particulier, au procureur de la République.

La France, contrairement à d'autres pays d'Europe, ne permet toujours pas à ceux qui ne veulent plus vivre, sans pour autant être gravement malades, d'être aidés afin de s'épargner une mort violente, traumatisante pour tous.

C'est ce que réclame l'ADMD et pour quoi personnellement je milite, éclairée et convaincue par l'exemple de ma mère.

Pourquoi le couple Cazes en appelle, ainsi, à la République ? Parce que ce sont *ses* lois qui posent ici problème et tout particulièrement la fameuse loi Leonetti. Je devrais dire les lois Leonetti puisqu'il y en a eu deux, l'une en 2005 et l'autre en 2008, avant qu'une nouvelle mouture, la loi Claeys-Leonetti qui nous inquiète déjà, ne voie bientôt le jour. Ce qu'il faut retenir de cette succession de lois, c'est que toutes – même si elles mettent le doigt sur le risque de « l'obstination déraisonnable » – maintiennent l'interdit fondamental de donner délibérément la mort et qu'elles confèrent aux seuls médecins la responsabilité d'une décision et d'un geste susceptibles de l'entraîner. Parmi les propositions du candidat Hollande, la proposition 21 semblait ouvrir de nouvelles perspectives. Elle laissait espérer une levée possible de l'interdit.

Élu Président, François Hollande a missionné le professeur Sicard pour interroger les Français et procéder à une réflexion sur la fin de vie dans l'ensemble des régions. Quelques débats publics (trop peu selon nous) se sont tenus en vue de réévaluer la loi Leonetti de 2008. J'ai souhaité rencontrer personnellement le professeur.

Tout en admettant que les Français meurent mal en France, ce dernier, à l'instar du Comité consultatif national d'éthique, m'a paru peu favorable à l'idée d'introduire dans une nouvelle loi l'aide active à mourir. Cette position s'est confirmée dans son rapport remis le 18 décembre 2012 au président Hollande. Entre-temps, le Comité consultatif national d'éthique a proposé à 18 citoyens, choisis au hasard dans toute la France, de réfléchir également à la question de la fin de vie. Le rapport de ce « jury citoyen » est espéré sous peu, à la fin de l'année 2013.

Je l'attends avec impatience, en ce qui me concerne, tandis que le film se prépare à redonner vie à *La Dernière Leçon*. Je fais plus confiance aux citoyens qu'aux législateurs !

Le couple Cazes est venu s'ajouter à la longue liste de ceux qui, par leur geste, interpellent la République, l'obligent à aller plus loin, car l'exemple est porteur. Il émeut la conscience populaire. Il m'émeut tout particulièrement. C'est ce que je dis et redis lorsqu'on me demande mon sentiment, car ce couple me renvoie forcément à l'expérience vécue avec ma propre mère.

Je le ferai de nouveau sur RTL, interrogée par Yves Calvi, au petit matin du 24 novembre. En évoquant la scène du Lutetia où les vieux amants ont été retrouvés, allongés côte à côte, main dans la main. À l'antenne, je souligne la frilosité de la République, bien sûr, mais c'est surtout vers ces deux amoureux de l'amour et de la vie que se dirigent mes pensées. C'est pourquoi me revient d'un coup la chanson d'Edith Piaf, *Les Amants d'un jour*, connue de tous, familière à tous. Impossible soudain de ne pas la chanter a capella, de ne pas lancer sur les ondes « on les a trouvés, se tenant par la main, les yeux refermés vers d'autres matins... unis et tranquilles dans un lit creusé au cœur de la ville ». Yves Calvi ne m'interrompt pas, je lui en suis reconnaissante. Quelques secondes volées aux actualités, imprévisibles. Juste le temps de les saluer, genou à terre, Georgette et Bernard. D'honorer en eux la beauté du geste.

★

★   ★

5 décembre 2013. Jour anniversaire. Jour choisi par ma mère pour sa révérence, son adieu au monde.

Un soleil hivernal plus insistant qu'à l'ordinaire. Le corps se souvient. Il précède la pensée. Le corps saura avant moi que c'est ce jour-là. Il est déjà sur le qui-vive, en attente de quelque chose. D'un signe ? Forcément. Qui va venir ? Forcément. Au-delà de ma volonté, de ma conscience.

Aucune impatience de ma part – elle serait bien inutile –, mais une tranquille disponibilité. Laisser l'évidence s'installer, se formuler. Et si je n'étais pas hors jeu ? N'ai-je pas mon propre rôle dans cette aventure ? Et si l'écriture de *La Dernière Leçon* n'était pas tout à fait finie ?

Voilà ce que semble signifier ce matin d'hiver devenu signe. Vertige.

S'impose subitement l'idée d'un prolongement, tout aussi évident, une nouvelle injonction : « Raconte ! », comme s'est imposée, pour ma mère et moi, l'idée d'un livre le jour dit de « la chemise de nuit ».

Que je raconte, bien sûr...

L'écriture n'est pas achevée car l'aventure se poursuit, complexe, excitante aussi, je l'ai dit, déjà. Ma place est là, dans cet autre récit à faire, onze ans plus tard, de la transfiguration du livre en film. Une suite qui va me permettre de revisiter *La Dernière Leçon* sous un éclairage différent, d'en prolonger le sens, la force, à l'aune de cette nouvelle expérience. Une « leçon » revivifiée en quelque sorte.

Non, je ne suis pas hors jeu. Bien au contraire. Mon rôle est tout tracé, ne dépend d'aucun casting. Je me le donne à moi-même. Je m'en vais raconter le « passage », de l'intérieur, de cette histoire si singulière et individuelle à une autre histoire, tout aussi indispensable à mes yeux, mais qui m'échappera. Jusqu'où ? Comment ?

À moi d'y répondre.

Nous sommes le 5 décembre 2013, jour anniversaire, jour qui fait sens, un an après que j'ai dit « oui » au projet du film, et c'est ce jour qui décidera de l'existence de ce texte devenu impérieux grâce à un soleil plus insistant qu'à l'ordinaire. Grâce à un vertige. Une injonction.

*
*   *

Un premier titre provisoire me vient pour mon récit : *De l'encre à l'écran.* Je sais pourquoi : c'était l'intitulé d'un festival sur l'adaptation fondé par Pierre-Henri Deleau, auquel j'avais été associée et qui s'était tenu à Tours au début des années 2000. Un titre élégant et imagé que je pourrais réutiliser ? À voir.

J'en suis là de mes réflexions, quand le rapport du « jury citoyen » est rendu public. Une « conférence » sans équivoque : « La possibilité de se suicider par assistance médicale, comme l'aide au suicide, constituent à nos yeux un droit légitime du patient en fin de vie ou souffrant d'une pathologie irréversible, reposant avant tout sur son consentement éclairé et sa pleine conscience. »

Quant au suicide assisté, y lit-on, c'est un droit légitime du patient en fin de vie.

« L'acte du suicide médicalement assisté doit s'inscrire à la fois dans des procédures et un accompagnement médical... »

Joie. Espoir.

Cette joie, cet espoir, il faudra les relativiser : ce rapport n'est que consultatif. Après quelques belles manchettes dans les journaux, on n'en entendra plus guère parler...

Noël approche. Plus le temps passe, moins on imagine un tournage au printemps prochain. Décidément, rien à voir entre la matière du temps du cinéma et celle de l'écriture ! Il va me falloir de nouveau tempérer mon impatience.

Grâce à mon calendrier à moi, je m'attelle à un travail de mémoire. Je prends note mentalement de tous les événements majeurs, des étapes qui ont jalonné l'aventure jusqu'à la date d'aujourd'hui. Il est clair que le récit, comme dans un journal de bord, sera chronologique. Retrouver les espoirs, les doutes, tous les aléas de cette longue préparation, en ne perdant pas le point de vue essentiel : celui de l'auteur confronté aux métamorphoses successives d'une libre adaptation de son histoire en un autre objet qui « trahira » forcément l'original, « forcément » parce que c'est son destin de trahir. Passage obligé que la trahison.

Je comprends mieux les auteurs de livres adaptés à l'écran qui se désolidarisent, presque immanquablement, de l'objet final. Comprends mieux pourquoi ils parlent de dénaturation, de contrefaçon odieuse.

Bref, la fâcherie est souvent au rendez-vous du choc entre l'écrit et l'écran, l'écran faisant écran à l'écrit.

En ce qui me concerne, pour en avoir d'emblée accepté le principe, la trahison, je l'escompte, je l'admets. Il s'agit au fond d'une trahison consentie. Je ne la crains pas. Je l'attends de pied ferme, au contraire, je veux l'examiner à la loupe. La soumettre aux expériences de mon laboratoire intime. L'étudier. La disséquer, la traquer s'il le faut. Qu'elle ne m'échappe pas. Peut-être parce que cela ne s'est jamais fait tout simplement (ou si peu !). Je voudrais observer, à partir de ma propre expérience, sur mon propre terrain, la métamorphose de mon livre en film, d'un point de vue esthétique, certes, mais également d'une manière plus personnelle, en approchant de l'intérieur la question de la désincarnation et de la réincarnation des personnes en personnages. Enfin inscrire le tout dans la dimension éthique, sociétale d'une réflexion sur la fin de vie devenue urgente à mes yeux, une sorte de mission tracée par ma mère. Voilà mon projet. Ma priorité. Son intérêt pour moi et, je l'espère aussi, surtout, pour ceux que le livre a émus et légitimés à en savoir davantage sur cette métamorphose généralement tenue secrète.

Je mesure pour cela l'avantage, le privilège de me trouver à la fois dehors et dedans pour un rôle inédit qui s'inventera progressivement.

Parfois ce privilège frise l'inconfort quand je m'impatiente trop. Car les semaines défilent et rien ne se passe, du moins pour moi. Le casting demeure toujours en discussion pour les rôles de Diane et de Madeleine, duo sur lequel repose, évidemment, la crédibilité du film. Je m'efforce tant bien que mal à ne plus importuner Pascale. Je tiens deux semaines. Le

1er février 2014, je lui envoie un SMS incontrôlable : « Rien de nouveau ? »

Un dialogue significatif s'ensuit :

« Rien de nouveau, non, sinon je t'aurais appelée !... Je te tiens au courant... Je t'embrasse.

– Ce doit être éprouvant pour toi, dis-je (en pensant sans nul doute à ma propre épreuve).

– Oui. Très... Comme d'habitude, le metteur en scène est à une place très enviée, mais c'est la plus dure !

– Je comprends. Oui... »

Je comprends qu'on est, elle et moi, dans la même inconnue, le même suspens. Un suspens qui l'empêche, elle, d'avancer, moi de me projeter. De commencer ce que j'appelle mon travail « d'identification, de réincarnation ».

Soudain Pascale tente le tout pour le tout. Appuyée par sa production, elle sollicite une réunion commune avec les distributeurs pour réaffirmer son souhait de proposer à Sandrine Bonnaire le rôle de Diane.

J'apprends que ce genre de rencontre n'est pas fréquent. Pascale la prépare comme un grand oral.

La chance est de notre côté : la veille, Sandrine Bonnaire était l'invitée du 20 heures de France 2, interviewée (à l'occasion de la sortie du dernier film de Lelouch où elle est la partenaire de Johnny Hallyday et d'Eddy Mitchell et de sa future performance au théâtre de l'Atelier) par un présentateur attendri et laudatif : « Les Français vous aiment, vous leur manquez ! » lui a-t-il dit, comme s'il parlait en notre nom, à Pascale et à moi.

Au cours de la réunion, Pascale, paraît-il très en verve, se rendra persuasive. Elle insistera sur l'évidente actualité de ce film par rapport à la réflexion des Français sur la fin de vie et l'occasion, grâce à lui, de participer au débat de manière active. Pascale a gagné : le scénario est envoyé à Sandrine Bonnaire.

Sa réponse viendra au bout d'une semaine : c'est oui ! Sandrine sera moi. Je serai Sandrine.

Avec Sandrine Bonnaire, le nouveau duo mère-fille doit être repensé car j'ai compris que Gisèle Casadesus ne peut plus être envisagée. L'écart d'âge entre elles est trop grand. Plusieurs noms sont évoqués. Des auditions ont lieu. Des mères potentielles vont se succéder, le suspens se poursuit : qui sera la mère ? Ma mère ?

Le choix définitif de Sandrine pour Diane me rassure. Je m'y accroche. Sandrine ne m'est pas inconnue. Nous nous sommes croisées, souvent, pour des causes citoyennes, fraternellement, avec une envie réciproque, à chaque fois, de nous rapprocher davantage. Elle est beaucoup plus jeune que moi mais ce qu'elle apporte d'humanité m'est précieux. Je crois, oui, pouvoir m'identifier à elle.

Mais, duo oblige, la mère sera non plus nonagénaire mais octogénaire. Une différence notoire.

Je pense à la fameuse fatigue de ma mère, chaque année plus insupportable pour elle. D'ailleurs, n'avait-elle pas hésité, déjà, à se « retirer » dix années plus tôt ?

Nous conversons longuement avec Pascale à propos de la vraisemblance du « couple » mère-fille : « Seule l'alchimie est susceptible de faire oublier l'âge réel, me dit-elle. C'est ce qui se passe entre elles qui compte surtout ! »

Sandrine le pense également.

Je me prends à revenir à l'alchimie entre ma mère et moi. Si extraordinaire, si rare. Cet étonnant mélange de réciprocité que j'appelais « gigogne » dans le livre, cet encastrement, ce l'une dans l'autre qui définit, parfois, le lien mère-fille lorsqu'il est parfaitement harmonieux. Un sur-mesure d'ébéniste ou de menuisier. Mais également l'amitié, l'estime, l'affinité entre femmes. La connivence, en un mot. Ma mère n'était-elle pas aussi une de mes meilleures amies, celle qui recevait, depuis toujours, mes confidences, qu'elle ne jugeait jamais mais que nous analysions, ensemble, presque en camarades ?

Le rôle de ma mère est lourd. Sur elle, sur Madeleine donc, reposera l'essentiel du film. Il faudra à l'actrice qui l'endosse, des épaules, de l'énergie, celle qui, paradoxalement, avait fini par précipiter le geste de notre mère par crainte d'en manquer un jour…

Au mois d'avril, je suis dans la maison du Sud lorsque je reçois de Pascale une proposition saisissante : Marthe Villalonga, suggère-t-elle pour Madeleine !

Marthe Villalonga ?

Cette fois, il s'agit pour moi d'une véritable

acrobatie mentale tant l'image que j'ai de Marthe est différente de celle de Gisèle !

J'écoute les arguments de Pascale.

Elle est allée voir Marthe jouer au théâtre sur le conseil de la production. Et oui, là, au théâtre, ce fut le coup de foudre ! Marthe était Madeleine. Une Madeleine tout à fait convaincante. Oui, Marthe est d'un naturel transcendant. Une vieille dame sans fard, sans manières. Oui, c'est une excellente comédienne. Oui, elle est adorée des Français ! Non, elle ne se cantonne pas au personnage de mère pied-noir, la preuve : son rôle dans *Ma Saison préférée* d'André Téchiné. Oui, c'est bien elle qui a interprété Ma Dalton et on la voit fort bien taguer un supermarché ! Oui elle peut concentrer, en elle, toutes les mères du monde ! Elle est *la* mère. *La* mamma. *La* maman !...

Grandes enjambées dans la prairie, entre le saule et le figuier, tandis que Pascale m'énumère toutes les bonnes raisons de choisir Marthe. Très vite, je les fais miennes à mon tour.

N'est-ce pas ce que nous cherchions : une femme âgée authentique, susceptible d'émouvoir toutes les filles et tous les fils du monde ?

Une femme assez déterminée et lumineuse pour transfigurer la mort en un acte vivant, plein de rires, de loufoquerie, de gaieté contagieuse, de simplicité, enfin ?

Je place côte à côte les deux portraits de Sandrine et de Marthe. Je les contemple longuement. Les imagine en mouvement, puis dans l'emboîtage. Toutes les postures mère-fille possibles.

Seront-elles gigognes ces deux actrices-là ?

D'ailleurs, peut-elle se jouer, la posture gigogne ?

★

★　★

8 mai 2014. Alarme à la production. Il faut revoir le montage financier à la baisse. On demande à tous des efforts.

Pascale ne mâche pas ses mots : « Le scénario passe sous un rouleau compresseur », m'avoue-t-elle. L'image est inquiétante.

Cela signifie que des séquences entières du scénario initial vont passer à la trappe, comme celles où Diane fait cours, par exemple, cette intéressante scène de lycée où elle repense autrement la question de la mort et de la liberté avec ses élèves. Une scène inspirée, d'ailleurs, d'une visite que Pascale avait faite, il y a longtemps, dans la classe où Antoine enseigne la philosophie. De plus, et, plus grave, même le making of semble menacé. L'idée que mon fils ne soit peut-être plus de l'aventure me contrarie au plus haut point. N'était-ce pas un préalable affectif incontournable ? Et une parole donnée ?

Pour la première fois, le doute s'insinue en moi. Ma confiance vacille.

Je demande un rendez-vous d'urgence à la production et prépare avec attention mes arguments en privilégiant *mon* vécu, *ma* vérité intouchable...

La réunion aura lieu très vite, en présence de Marc Missonnier, de Pascale et d'une nouvelle partenaire de la production, Christine de Jeckel, dans une ambiance grave mais franche et cordiale.

J'insiste sur ma solidarité avec la réalisatrice. Puis, en abordant la question des coupes relatives à Diane, j'explique le sens particulier du métier d'enseignant. Comment Diane, justement, ainsi qu'on le voyait dans le scénario initial, doit s'en servir pour apprendre de sa mère. Qu'il s'agit là d'une même symbolique de la transmission, tellement essentielle à *La Dernière Leçon*, tellement centrale. Pourquoi sacrifier des scènes si importantes, et pour moi et pour le personnage ? L'amputation financière exige-t-elle un sacrifice artistique et personnel aussi flagrant ?

Je sens bien que nous sommes là au cœur de la réalité d'un film en préparation, où tout se négocie à l'aune de la faisabilité. Je touche également du doigt ces douloureuses concessions qui alimentent précisément la fameuse « trahison ».

Nous ferraillons le plus amicalement possible mais fermement. Il en va de l'existence même du film dont je perçois soudain la fragilité – j'apprends que nombre de films prévus cette année ne se feront pas, faute de moyens suffisants. Peu à peu je me laisse convaincre. Je me rends à la raison. Je n'ai guère le choix.

C'est le moment, le bon moment pour annoncer officiellement l'existence de mon futur livre. Cette réunion en fait partie.

L'idée est bien accueillie. Elle me permet d'aborder un autre aspect de cette aventure collective qui me tient à cœur : comment le making of d'Antoine et ce que j'appelle mon « making in », mon récit, vont se recouper, se répondre, le film achevé, pour alimenter une analyse du passage de l'écrit à l'écran, dont je tiens les fils, personnellement, puisque j'envisage une sortie du livre en même temps que celle du film.

Et de revenir, une fois de plus, sur la dimension sociétale de notre projet commun : mettre ce film à la disposition d'une réflexion sur la fin de vie. S'en servir comme levier dans le débat actuel autour d'une législation nouvelle et, espérons-le, historique.

Cet investissement de ma part dans la sortie du film ne s'apparente-t-il pas à un compagnonnage où le film et le livre s'épauleront ?

Encore faut-il qu'aucune ombre ne vienne ternir cette ambition... La perspective d'un « combat » commun nous mettra tous d'accord.

Dans la rue, Pascale me rassure à propos de la première lecture qu'elle a faite avec Marthe du scénario, très motivée par le rôle. J'aimerais la rencontrer, bien sûr. Mais ce soir, c'est avec Sandrine Bonnaire que j'ai rendez-vous.

Antoine Duléry (prévu pour le rôle du frère de Diane) et moi devons aller la voir sur scène, au théâtre de l'Atelier, et dîner ensuite tous ensemble. Une rencontre qui me fait oublier qu'une nouvelle version du scénario va m'être proposée, dont les manques consentis m'inquiètent.

*

*   *

Acte manqué : je ne verrai pas Sandrine sur scène autrement qu'en silhouette – j'ai oublié mes lunettes –, je l'entendrai seulement, donc, qui plus est dans un rôle plutôt éloigné de mes préoccupations.

Dans la loge, après le spectacle, embrassade prolongée entre Sandrine et moi. « Nous avons à vivre quelque chose de très fort », me glisse-t-elle à l'oreille. Une phrase qui me fait frissonner.

Le dîner dans une taverne voisine prend un tour inattendu car nous rejoint une bande d'amis de Sandrine.

Peu d'échanges avec elle, assise en face de moi pourtant, mais quelques apartés intenses, des moments volés où nous évoquons le film et surtout ma mère.

Je me dis que la gaieté de cette tablée nous évite une solennité peut-être inutile, mais je sens déjà l'implication ardente de Sandrine dans ce rôle futur de Diane. Ainsi, c'était cela, cette histoire mère-fille inédite que nous devions partager, comme si elle nous attendait. Nous attendait depuis longtemps, déjà à notre première rencontre, il y a des années, mais également – signe – au festival de l'Encre à l'Écran sur l'adaptation ?...

Pascale et Antoine Duléry nous jettent des regards complices. Sandrine, oui, veut bien que nous nous parlions avant le début du tournage, mais pas avant – j'insiste – d'avoir lu mon livre. Comme si je tenais à ce qu'elle la boive à la source, cette eau vive, dans sa version originelle, encore intacte. Inaltérée...

★
★   ★

Mardi 10 juin 2014. Pascale me téléphone longuement. Elle veut me préparer à l'arrivée imminente de la dernière mouture du scénario.

Nous abordons, pour la énième fois, la question de ce fameux « déplacement » de l'écrit à l'écran. Les concessions que je dois faire avec moi-même. Les dates de tournage sont fixées à l'été. Il est entendu, avec tous, que je pourrai y venir librement mais... Mais ne pas m'y précipiter. Laisser à l'équipe le temps de se trouver. Ne pas interférer dans les tout premiers jours. Voilà ce que nous décidons d'un commun accord, la réalisatrice et moi.

J'imagine la fébrilité de tous, à un mois à peine du jour J. Je n'en suis pas. Je suis à contretemps, en attente du texte définitif. Tout au plus me demandera-t-on des photos de ma mère, élève sage-femme à Port-Royal. On viendra les chercher chez moi en même temps qu'on me déposera le scénario.

Le 11 juillet, un assistant de la régie s'annonce. Je regarde une dernière fois – mais non, voyons ! Pas une dernière fois ! C'est un prêt, un prêt tout à fait provisoire ! – les photos de Port-Royal dont ma mère m'a tant parlé et que je vais confier tout à l'heure : elle est là, au 10ᵉ rang de l'amphithéâtre, au milieu d'une centaine de jeunes femmes, avec leur voile blanc qui les fait ressembler à des nonnes. Le métier de sage-femme est une vocation. On le sent à l'ordre, à la ferveur qui se dégagent de ces photographies sépia.

Est-ce ici, dans cette école de la discipline

et de la sacralité, où l'on donne la vie, que ma mère a appris le sens de la sienne et la valeur des choses ? Je le pense. C'est ici, elle me l'a dit, qu'elle a vu mourir, dans ses bras, des jeunes filles enceintes avortées clandestinement. Des morts injustes, indignes du pays des droits de l'homme. Ses premières larmes de révolte, ici, sur la mort honteuse.

Il est 17 heures et la fenêtre est grande ouverte sur des tourterelles qui roucoulent, quelque part, quand je me mets à la lecture du jet ultime d'un scénario qui clôt cette première longue partie de l'aventure, de cette passation à la fois crainte et désirée.

Maintenant que le casting est défini, la lecture du scénario est différente. Je vois clairement ma mère en Marthe, Sandrine en moi, mais je ne peux encore empêcher tout à fait les confusions avec la réalité. Soudain, au hasard d'un dialogue, c'est mon propre visage et celui de ma mère qui se superposent à ceux des comédiennes.

Quant aux autres personnages, ils sont tellement « autres », précisément, qu'ils me posent moins de problèmes. Ils ne sont ni dans ma tête, ni dans mon âme.

Je sais que pour les besoins du scénario et de son tempo, Diane, contrairement à moi, résistera longtemps avant d'accepter la décision de Madeleine, et je dois réfréner mon impatience à la voir convaincue, enfin, dans la scène de la salle de bains où, prenant conscience du corps usé, torturé, de sa mère, elle dit : « D'accord. » Une scène qui me fait monter les larmes car ce corps-là, je l'ai réellement vu à ce point usé, torturé…

Finalement, je me rends compte que le scénario, plus resserré, gagne en intensité.

À mi-lecture, une amie qui vient de perdre sa mère m'appelle et me parle des roses qu'elle respire pour elle. Je savoure la coïncidence. *La Dernière Leçon* n'est-elle pas destinée à toutes les filles en mal de mère ?

De nouveau, je bute sur le personnage de Pierre, le frère décidément si éloigné de notre histoire familiale. Enfin, emportée par l'horloge qui scande l'arrivée inéluctable de la mort, je cède à l'émotion dans le superbe final alterné où mère et fille fusionnent dans la défusion. Je « nous » retrouve, peu avant le geste fatal dont l'une et l'autre connaissent l'imminence, chacune dans nos maisons, nos cuisines respectives, celles où la vie continue, celles où la mort se prépare.

Est-ce pour cette raison que les derniers mots de Diane, en voix off, j'aurais envie de les réécrire, avec mes propres mots ?

C'est évident. Il faudra que j'en fasse la demande.

L'émotion est à son comble. Sera-t-elle celle du spectateur ? Pour la première fois, je me pose la question.

Visite, quelques jours plus tard, de la réalisatrice, accompagnée du chef décorateur du film, Laurent Avoyne, particulièrement investi dans sa tâche – immense à mes yeux – de réinventer les lieux et les choses qui entourent, mais aussi, symbolisent les personnages.

De l'appartement de ma mère, dans un HLM, à La Celle-Saint-Cloud, j'ai beaucoup parlé à Pascale, qui n'ignore ni la simplicité de l'endroit, ni l'intérêt porté par ma mère à l'exotisme des pierres, des fleurs séchées, de menus souvenirs venus du monde entier. « Citoyenne du monde »... Ainsi se définissait cette vieille dame curieuse de toutes les cultures.

Je sens que Laurent Avoyne y est sensible lui aussi et qu'il fignole, au détail près, la vraisemblance. Il a besoin, par ailleurs, d'objets « fétiches » qui entreront dans le décor. Je propose de prêter le trépied en fer, sorte de brasero rapporté du Mali par ma mère (lors de son dernier grand voyage, à 84 ans, pour la création d'une maternité), sur lequel les femmes du village cuisent le poisson ou la viande. Et surtout, mon vieil ours marron raccommodé, pansé mille fois, quand j'étais encore petite fille, avec des bas nylon de ma mère, ce nylon d'autrefois qu'on remaillait à la main. L'ours doit être dans le décor ! C'est moi qui y tiens. Et, enfin, le vieux bâton sur lequel ma mère s'appuyait pour marcher. « On le reproduira à l'identique », propose Laurent, comme s'il avait scrupule à profaner un objet si précieux... Mon frère Olivier, présent ce jour-là, assiste en souriant à cette cérémonie.

J'en suis heureuse. C'est une façon de l'associer, finalement, à toute cette aventure que j'ai seule voulue, que seule j'assume. Il semble étonné par tant de délicatesse et par le naturel de Pascale. Comme rassuré, en quelque sorte, que le cinéma n'empêche pas l'attention aux autres, et même en fasse une exigence, un principe, surtout sur un tel sujet. Quant à moi qui connais le scénario et sais l'usage qui sera fait de tous ces objets, je les confie non sans émoi.

Le film va reproduire ces scènes de rangement et de distribution qui ont tant préoccupé ma mère, les dernières semaines avant son départ : « Je n'ai pas fini ! J'ai encore tant de travail », répétait-elle à bout de fatigue, d'épuisement physique. Il fallait que tout soit en ordre avant de partir. Ranger. Trier. Répertorier. Expliquer le comment, le pourquoi, par des petits mots émus et rieurs. Un rituel pour une mort réfléchie, sacralisée, selon une morale connue d'elle. D'elle seule. Une pensée en acte. Des actes pensés. Pour ses enfants, petits-enfants, nous tous qui restions. Elle tenait à nous faciliter la tâche – après – et à nous permettre de trouver notre chemin dans le dédale de son propre parcours. Comme un dernier signe d'adieu, un baiser du bout des doigts.

Tandis que le tournage se prépare, deux événements font réagir la presse et partagent l'opinion. Il s'agit du procès du docteur Bonnemaison et de la triste affaire Vincent Lambert. L'euthanasie revient de nouveau dans l'actualité.

Accusé d'avoir empoisonné sept vieux patients en fin de vie en leur administrant une sédation susceptible d'accélérer leur mort, le docteur Nicolas Bonnemaison, qui risquait la réclusion criminelle à perpétuité, se voit acquitté par la cour d'assises de Pau. En procédant à des injections recherchant la sédation de la douleur, sans intention de donner la mort, le docteur Bonnemaison restait dans les clous des lois Leonetti de 2005 et 2008. Il lui était surtout reproché de ne pas avoir associé les proches de ces personnes âgées à sa décision, ni informé l'ensemble de l'équipe soignante. Mais ce verdict pointe évidemment les limites de la loi Leonetti et les zones d'ombre qu'elle occasionne ici et là.

Quant au cas Vincent Lambert, il n'en finit pas de bousculer notre conscience, sans doute parce qu'il déchire les proches de Vincent eux-mêmes. Il s'agit d'autoriser, ou non, l'équipe médicale, à arrêter tout traitement pour laisser enfin mourir cet homme de 38 ans dans le coma depuis 2005 ! Le Conseil d'État, en accord avec l'épouse de Vincent, y consent. La Cour européenne des droits de l'homme, sollicitée par les parents de Vincent, gèle la procédure.

À qui donc appartient la vie d'un être qui n'a plus les moyens d'affirmer sa volonté mais dont la compagne, pour le meilleur et pour le pire, assure qu'il n'aurait pas voulu de cette vie qui n'en est plus une ?

À qui de trancher ?

Plus que jamais je me rends compte de la sensibilité de ce sujet dans la société française et aussi du retard que nous avons sur d'autres pays bien moins frileux sur cette question, où l'euthanasie n'est plus un tabou, car en ce qui me concerne, j'ai tranché depuis longtemps. Comme tant de mes concitoyens, j'attends du gouvernement actuel, qui s'y est engagé, une révision de la loi sur la fin de vie, conséquente et courageuse, où l'euthanasie, comme l'aide active à mourir, soient repensées.

L'approche de la mort, à deux reprises, m'y a aidée, personnellement, intellectuellement, affectivement. C'est d'humanité qu'il est question et de libre arbitre.

En devenant film, *La Dernière Leçon* participe-t-elle de ce questionnement ? Oui, à sa façon. J'en aurai pour preuve l'insistance de Pascale auprès de son équipe de tournage de lire le texte : il circule parmi tous et suscite des réactions très vives qui la surprennent déjà. Quoi qu'il en soit, chacun a pour mission, au-delà du scénario, d'avoir lu, si possible, ce livre avant le premier clap. C'est un préalable pour la metteuse en scène, comme ça l'est pour moi-même.

Cela signifie-t-il que ce tournage ne sera pas, par son sujet, tout à fait ordinaire ? Je le pressens. Il ne peut pas l'être. Ni pour moi, ni pour tous ceux qui y participent, parce qu'ils sont fils et filles d'une mère sur laquelle, par un effet de miroir, consciemment ou inconsciemment, ils ne pourront pas, à un moment ou à un autre, ne pas se projeter intimement. Une mère qui mourra un jour. De quelle manière ? Question en suspens et terrible à imaginer.

★

★   ★

Cette rencontre du 5 juillet 2014 pourrait être une scène de film...

Intérieur Jour – Restaurant Le Wepler.

J'arrive la première. Je choisis une table pour quatre. M'assois sur le coin d'une des deux banquettes en moleskine rouge.

Trois convives doivent me rejoindre et j'ai le trac. Je change de place. Fauteuil d'en face, même moleskine rouge. Même trac.

Les voilà ! Pascale, Sandrine et Marthe.

C'est aujourd'hui *la* rencontre. Je la sais décisive. Elles apparaissent ensemble, mais Marthe se détache dans un halo lumineux que je reconnais aussitôt : celui qu'un visage de vieille dame sait offrir quand la vieillesse est, à ce point, pétrie de vie, de gourmandise. Ma mère avait cette lumière sur le sien. Éblouissante. Espiègle.

Je me lève. Baisers empêtrés parce que émus, surtout avec Marthe qui m'est inconnue. Pascale s'attable à ma gauche. Sandrine et Marthe me font face. Avant même la moindre parole, j'embrasse les deux comédiennes du regard. Je saisis, dans un même plan fixe, Diane et Madeleine. Une fille et une mère inventées pour les besoins d'un film.

Les mots me manquent. Elles fusionnent. Elles sont déjà, à l'image, sans parler, mère-fille complices, animées d'une force, d'un élan communs. L'impression est fulgurante. Un « couple » plus que plausible : vraisemblable !

Mais on a mille choses à se dire. J'ai besoin, d'abord, d'expliquer, de m'expliquer. De revenir sur l'histoire de cette rencontre d'aujourd'hui, comme un aboutissement, une suite et une fin logiques.

Débuter par le geste de ma mère, enchaîner avec le livre, dont je m'aperçois que l'une et l'autre, Sandrine et Marthe, l'ont lu. Bien lu. Une trace, un sillon creusé, à suivre, sans s'en écarter trop, pas dans les pas, parce que l'empreinte demeure, comme une invitation, un modèle possible de marche à l'unisson.

Je raconte comment et pourquoi le livre s'est écrit, un peu, à quatre mains. Et l'accompagnement du livre. Le courrier. Tant d'années à échanger, et puis mon engagement, le flambeau repris de ma mère. La « mission » que je me suis donnée de participer au débat sur la fin de vie et la volonté que j'ai d'y peser, de tout mon poids de fille, à l'école de la mort.

Impossible que je taise les raisons d'être, pour moi, de ce projet très particulier. Il y va de mon honnêteté. Il me faut avoir, sur ce point, l'accord moral des deux actrices qui porteront cette cause devenue un combat personnel. Bref, il s'agit pour moi d'un film « engagé ». Sont-elles d'accord ?

Marthe dit : « C'est comme cela que je veux mourir » en évoquant le geste de ma mère. Sandrine acquiesce. Oui, elles sont d'accord. D'accord sur tout. D'accord sur la nécessité, à l'occasion de ce film, de promouvoir la « leçon » qu'il contient, à mes côtés.

Aucune réserve ni distance de la part de Sandrine et de Marthe qui rejoignent, spontanément, mon combat philosophique et sociétal.

Forcément ma mère nous écoute, me dis-je. Forcément elle sourit à cette belle harmonie.

Pascale intervient peu. Elle nous écoute. Elle regarde ses futures comédiennes s'emparer déjà de leurs rôles avec le même enthousiasme, la même implication.

Sandrine comme Pascale vont plus loin encore : ce ne sont pas des situations qui peuvent se *jouer*, insistent-elles, si on est en désaccord moral avec la philosophie de la mort choisie. J'acquiesce, comblée par tant d'enthousiasme partagé.

Je suis sur un nuage quand le déjeuner s'achève après que les deux actrices m'ont parlé un peu d'elles et des coïncidences en particulier, des signes... La fille de Sandrine est née un 5 décembre (jour du départ de ma mère). La couleur préférée de Marthe est le bleu (comme pour ma mère)...

Nous nous quittons, heureuses et confiantes.

Pascale demeure encore quelques minutes avec moi, m'explique de nouveau ce qu'elle attend de son équipe de tournage. Elle espère pouvoir organiser une projection du film documentaire *Mireille Jospin Dandieu, une femme en marche*, que Bernard Baissat a réalisé sur ma mère, afin que tous la voient, cette mère devenue Madeleine, que tous aient conscience de la personnalité hors du commun de cette vieille dame si fondamentalement vivante.

Nous évoquons aussi la musique du film, essentielle pour moi. Pascale envisage du classique revisité, écrit par un compositeur qu'elle connaît, en qui elle a toute confiance.

J'apprendrai plus tard qu'il s'agit d'Éric Neveux.

Pascale me raconte également les répétitions avec les deux comédiennes, impressionnantes, déjà, de vérité. Les actrices sont « habitées » par le sujet. C'est d'autant plus fort que les répétitions ont lieu dans le décor prévu pour l'appartement de Marthe / Madeleine à Fontenay-sous-Bois (tiens ! C'est là que j'étais en pension entre 10 et 16 ans) « qui ressemble étonnamment à celui de ta mère », me dit Pascale.

Je m'y projette déjà avec un mélange d'impatience et de trouble. La maison de ma mère est une image mentale tellement intouchable... Il me faudra donc en concevoir une autre ?

Oui. Bientôt. Très bientôt.

★

★   ★

J'ai demandé que l'on m'envoie le « plan de travail » du film afin de pouvoir suivre, de loin, le début du tournage. C'est Sophie qui me le fait parvenir. Sophie, fille aînée de ma belle-fille, qui participe au film comme stagiaire à la réalisation, ajoute, avec Antoine pour le making of, à la dimension personnelle de ce tournage. Elle et lui seront, les premiers jours, mes fidèles messagers.

En attendant, le plan de travail est grand ouvert sur mon bureau, dans la maison du Sud où je suis retournée après la rencontre au Wepler.

Le plan de travail est un document fascinant pour un non-initié. C'est un outil d'une précision impressionnante. Un instrument de base. Un déroulé du tournage, jour après jour, séquence après séquence, scène après scène, en fonction des lieux, des horaires, mais aussi des comédiens qui apparaissent dans le graphique sous la forme de numéros selon leur présence sur le plateau.

Chaque scène, comme dans le scénario, est détaillée, mais ici de manière plus serrée encore, car chaque acteur du tournage, qu'il soit technicien ou comédien, doit s'y retrouver. Huit semaines de tournage entre juillet et octobre, avec une longue pause du 8 août au 8 septembre.

J'ai déjà repéré les scènes pour lesquelles je souhaiterais être sur le tournage, mes incontournables. Ce sont surtout les scènes intimes mère-fille qui m'attirent, toutes les postures « gigognes », dans leur gradation. Probablement parce que ce sont elles, ces scènes, qui sont au plus près du livre, de nous, de ma mère et moi, dans notre réalité. Notre vérité.

Là où le film ne peut « trahir ».

★

★   ★

SMS de Pascale, le 12 juillet :

« Ma chère Noëlle, J-3 avant le tournage... Je pense bien fort à toi. Je pars à la campagne pour m'enfermer avec ton livre... source de toutes nos inspirations... Je t'appelle dans le week-end... Je t'embrasse. »

La « source »... Pascale ressent le besoin d'un retour à la source. Celle du livre d'où tout est parti. Cette idée me touche. Me rassure, aussi. Que Pascale enjambe, à reculons, le scénario en quête de ses premières sensations, celles de la lecture du livre, me semble juste. J'en apprécie le sens profond, celui de revenir à l'essentiel, à ce qui a provoqué, chez elle, le désir d'un film, des années plus tôt.

Le jour J ! Le compte à rebours jusqu'à ce jour J. Voilà l'image revenue du décompte du temps, comme celui qui a précédé le geste de ma mère...

En fait, moi aussi, je compte les jours. Pour moi non plus, la machine du temps ne s'arrêtera pas. Le film va se faire, quoi qu'il arrive.

Des regrets ? Non. De l'appréhension ? Oui.

Deux jours plus tard, le 14 juillet, je propose à Pascale mes dates de venue sur le tournage. Les 24 et 25 juillet, une dizaine de jours donc après le début du tournage. Le moment nous paraît bien choisi Priorité : ne pas perturber les comédiennes par ma présence. Respecter l'intimité de l'équipe, pour un travail qui, en principe, ne me regarde plus.

L'auteur, sur un tournage, provoque le risque d'une intrusion, bien sûr. J'en ai pleine conscience. Même moi qui ai suivi de si près, en amont, l'avancée de ce projet ? Oui, même moi ! Surtout moi peut-être !

Il n'empêche, c'est à ma mère, à elle d'abord, à elle en particulier, que je voudrais raconter tout cela. Tout ce qui se prépare.

★

★   ★

24 juillet 2014.

Je suis entrée dans la maison de Fontenay, telle une petite souris. C'est dans ce pavillon en bordure du bois de Vincennes que le décor du film a été planté pour 17 jours. Dans ce lieu doivent se tourner toutes les scènes chez Madeleine, la mère, à l'intérieur de son appartement. Elles ont été regroupées (comme cela se fait dans tous les tournages) indépendamment de la chronologie des événements, ce qui exige des comédiens une acrobatie mentale dont les futurs spectateurs, en salle, n'ont pas idée.

Pascale, qui m'a vue, vient m'embrasser et me conduit dans la minuscule salle de bains, à côté de la scripte, Laurence Couturier, qui contrôle tout sur son moniteur, son combo. Salutations amicales mais discrètes.

J'étais prévenue de l'inconfort du lieu : à peine tenons-nous, Laurence et moi, entre le mur et la baignoire... Mais je me sens bien. En terrain familier. J'aime l'atmosphère d'un tournage.

Silence ! Moteur demandé ! Ça tourne ! Annonce ! Action !

Sandrine, en plan rapproché, regarde un vieux film en Super 8. On y voit sa mère, jeune, en robe rouge, une robe d'autrefois. Marthe s'approche en chantonnant derrière elle. Espiègle. La voilà qui arbore cette même robe rouge qu'elle a toujours gardée.

« Elle n'a pas changé ! Moi un peu. »

Sandrine se retourne. Sur son visage : la surprise et l'émotion, au bord des larmes, au souvenir de cette mère autrefois si belle et qui aujourd'hui...

Puis Marthe se met à valser, avec sa robe.

« Tu veux danser ? »

Coupez ! Clap de fin !

Entre deux prises, Pascale me présente son père. Fier, forcément, de sa fille aux manettes.

« C'est curieux que nous ayons choisi de venir sur le tournage le même jour ! » dis-je.

Entre deux prises aussi, j'inspecte cette petite

salle de bains. Elle ressemble si fort à celle de ma mère ! Jusqu'au savon de Marseille poli, crevassé par les lavages. Le chef déco est passé par là. Il a tout compris.

Ça tourne !

Danse entre mère et fille. Une sorte de flash-back. C'est la Marthe d'hier, jouée par une Marthe jeune, au chignon bas, une autre comédienne, qui danse avec sa fille. Un rock endiablé. Confusion du temps. Mélange des époques...

Coupez ! Clap de fin !

De loin, j'entends Sandrine qui tousse à plusieurs reprises. La moquette. La poussière, dit-on.

Au moment du rock, qui réjouit tout le plateau, je le vois pour la première fois : le clap, en gros plan, avec mon titre, le titre de mon livre : « La Dernière leçon ». Je n'en reviens pas. Difficile d'y croire. L'effet est saisissant. Irréalité, soudain, dans tout cela. Lorsque le rock s'achève (le flash-back est terminé), la Marthe d'aujourd'hui a repris sa place dans les bras de sa fille. Elles rient. Marthe et Sandrine rient.

Puis elles ne rient plus, car le rire de la fille s'est figé, figé d'effroi.

Diane semble dire à sa mère : « Non ! Non ! Tu ne vas pas faire ça ! »

Je me sens gagnée, à mon tour, par l'angoisse de Diane que j'ai éprouvée, moi aussi, dans les premières semaines du départ annoncé...

Enfin, Sandrine pose sa tête dans le cou de sa mère. Elle s'apaise.

Changement de plan. Nicolas Brunet, le directeur de la photo, est aux manettes, concentré, rapide, précis.

Nous nous parlons, Laurence, la scripte, et moi. Le courant passe. Oui, elle a suivi Pascale sur tous ses films. Nous discutons du livre. Je lui promets de lui montrer un jour le manuscrit de *La Dernière Leçon*, car elle n'en revient pas que j'écrive à la main, dans mon lit.

Je me déplace dans le décor et rencontre Marthe.

« Ah, Noëlle !

— Je n'ai pas voulu vous déranger dans votre loge !

— Alors, comment ça va ?

— Mais bien ! Bien ! Vous savez, ce matin,

j'avais une phrase, en boucle, dans ma tête : quelle histoire ! Mais quelle histoire !

– Oui, quelle histoire ! Vous savez, on a du bonheur à la tourner.

– Ce n'est pas trop... plombant ?

– Pas du tout ! C'est serein. Doux... »

Je lui parle du savon de Marseille, dans la salle de bains, si semblable à celui que ma mère utilisait.

« Moi, des bouts de savon, j'en mets partout... Dans mes tiroirs... Ça sent si bon... le savon qui s'use, c'est le temps qui passe... »

Je regarde l'équipe au travail. Il est vrai qu'il y a beaucoup de sérénité, de calme, sur ce plateau.

Au déjeuner, j'offre deux petites pierres-talismans qui appartenaient à ma mère, l'une à Marthe et l'autre à Sandrine. Un morceau de silex et un éclat de vase romain.

Le directeur de production, Samuel Amar, m'annonce la présence de Marc Missonnier, le lendemain. Nous évoquons mon fils Antoine qui s'est fait sa place, déjà, sur le plateau.

Sandrine me demande mes premières impressions.

Je parle de l'incroyable virtuosité de son regard. Comment par mille nuances successives, il passe de la joie à la frayeur. « Il me faudrait des pages entières pour le décrire avec des mots », lui dis-je.

Retour sur le tournage avec Sophie, tout enthousiaste, et Sandrine qui me rassure sur ma présence. Elle dit avoir aimé que je sois là. Que cela « augmente, avive son désir de jouer ». C'est un cadeau pour moi qui doutais.

Pendant l'installation du plan suivant, je m'assois dans le salon de Madeleine, revisité par Laurent, le chef déco. Si crédible, ce double salon ! Le bleu au mur, les fleurs séchées, les lampes Art déco, les vieux fauteuils, le tapis oriental, les photos des enfants et des petits-enfants, la bibliothèque et sa porte vitrée, le paravent où sont affichés des articles de journaux militants sur le droit à l'IVG, la table-bureau avec le courrier du jour...

Tandis que l'on s'agite autour de moi, pourquoi me vient-elle, cette sensation d'être « à la maison » et surtout d'en avoir le droit, comme si tous ici, par leur attention, leurs regards respectueux et discrets, virevoltant chacun à sa tâche dans le décor, considéraient cette place comme légitime ?

★

★   ★

Lorsque je retourne sur le tournage, le lendemain, au matin du 25 juillet, l'atmosphère est presque feutrée. C'est normal : on répète la scène dite « de la salle de bains ».

Pascale va de Marthe à Sandrine. De Sandrine à Marthe. Leur parle à l'oreille. Cette scène fait partie de celles que je voulais absolument voir tourner. Un moment clef pour Diane qui va prendre enfin conscience de la fatigue extrême de sa mère, de l'épuisement de ses forces, inéluctables...

Répétition.

Diane aide Madeleine à retirer sa robe et son médaillon fétiche, celui qu'elle a toujours porté.

« Je l'adore, celui-là, dit Sandrine

– Prends-le ! répond Marthe. Il est à toi maintenant ! »

Diane proteste : « Maman ! » Pourtant elle détache le médaillon du cou de sa mère et le referme autour du sien.

«Voilà, c'est sa place... Je veux qu'il vive avec toi à présent!» dit Marthe.

Gestes tendres, ralentis. Intimité mère-fille. Force silencieuse du corps dans sa nudité fragile, déchirante.

Moteur!

Bruit de l'eau qui coule pour le bain. Souffrance de Marthe qui gémit à chaque geste. Tous les gestes font mal. Sandrine le découvre. Il me semble que je suis venue à Fontenay pour voir *ce* moment-*là*.

On tournera la scène plusieurs fois parce que, techniquement, c'est compliqué. Tout est problème dans l'espace réduit de cette minuscule salle de bains. Pause technique donc.

Le chef déco vient m'embrasser. Des «bonjour» ici et là, des saluts attentifs. Pascale m'embrasse à son tour, derrière le combo, où j'ai repris ma place avec la scripte, discrètement.

Je peux maintenant approcher Sandrine : «Je suis là grâce à ce que tu m'as dit hier. Je m'y sens maintenant autorisée.

– Tu sais, je l'ai tenue, toute la soirée, dans ma main!» me répond Sandrine.

105

Je sais qu'elle parle de la petite pierre-talisman.

« C'est de la force, et pas seulement pour le film ! J'y crois, à la force des pierres ! » ajoute-t-elle.

Le tournage reprend, jusqu'à une dernière prise « pour le plaisir », précise Pascale. Elle – comme moi, comme tous – est saisie par l'émotion parfaite de cette scène. Par sa vérité.

C'est dans cette scène que la fille comprend enfin sa mère. Oui, la décision d'arrêter *là* la déchéance du corps, Diane va l'éprouver, pour la première fois, dans l'empathie avec Madeleine. Mère et fille sont au plus près.

Changement de plan, à présent.

Marthe me rejoint. Installée sur l'accoudoir du fauteuil où je suis assise, elle revient sur l'atmosphère du tournage.

« Il s'y passe quelque chose de particulier, me confie-t-elle. Un calme, un respect de tous très exceptionnels. »

Je n'en suis pas surprise. Aussi bien nous ne tournons pas *Les Trois Mousquetaires* ! Mais l'histoire d'une très vieille dame qui veut s'en aller, à son heure, et d'une fille qui commence à l'admettre, par amour. Une histoire qui parle à chacun, à tous.

Avant de me quitter pour la scène du bain, Marthe se penche vers moi :

« Chacun est à sa place. Vous avez votre place aussi, ici. »

« À ma place »... Cette question de « place » n'est-elle pas au cœur de ce récit ? Ma « place », je la cherche, en effet, depuis le début. Elle est instable parfois. Claire, évidente à d'autres moments. À chercher, en permanence...

Avant de rentrer dans la baignoire, un peu gênée par sa nudité, j'entends Marthe qui lance à la cantonade : « La prochaine fois, faudra mettre de la mousse ! »

Le rire est bienvenu.

Maintenant, Diane aide Madeleine à descendre dans le bain. Nous sommes en gros plan sur les deux visages.

« Tu me tiens, hein ? demande la mère.

– Je te tiens », répond la fille.

Nous y sommes. Entre elles, le pacte est scellé. Elles ne se lâcheront plus. Jusqu'à la mort. Leurs yeux se le disent par une lueur complice, presque joyeuse. Apaisée.

Moi aussi j'y suis. Je retrouve, intact, notre pacte, celui qui nous a liées, ma mère et moi, jusqu'à sa mort.

Mes yeux le disent, à leur tour, à ces deux actrices qui, de jouer si juste, semblent avoir cessé de jouer.

★
★ ★

Je quitte Paris, encore habitée par ces deux journées, intenses, intemporelles. Car rien n'est plus hors du temps qu'un tournage, lieu clos en total décalage avec le réel.

Avant de partir, j'ai pu échanger avec Marc Missonnier sur le sens de mon futur récit insolite, lequel l'intéresse visiblement, ainsi que tout ce qui renvoie, en général, à l'adaptation.

De retour dans mon Sud, je raconterai, avec passion, combien j'ai eu le sentiment de faire partie intégrante du film, comme je me suis sentie soudain en osmose avec tous, grâce à Pascale, si accueillante, si prévenante, dont la sérénité semble avoir gagné toute l'équipe, mais surtout grâce à l'accueil de Sandrine et de

Marthe dont le professionnalisme n'empêche pas le sens du partage.

Que j'aie pu, par ma présence, ajouter à l'intensité de leur jeu, les « doper » – comme elles me l'ont l'une et l'autre affirmé – n'est pas rien. J'imagine que cette chance n'est pas donnée à tous les auteurs adaptés au cinéma. J'en apprécie l'exception. J'en mesurerai l'addiction aussi.

Oui, je serais volontiers demeurée davantage sur le tournage, dans cet état de grâce qu'il m'a procuré.

Mais me voilà loin, et c'est par la pensée, aidée par le plan de travail, que je dois suivre, maintenant, l'avancée du film. Ce calendrier, fait de jours qui passent, me renvoie, une fois de plus, à celui d'il y a douze ans, quand les semaines s'égrenaient vers un certain jour J.

Seul Antoine me relie à ce qui se passe désormais dans la maison de Fontenay. Pascale n'est pas prodigue de messages. Je le comprends mais, soudain, ma tête, à la fois là-bas et ici, commence à tourner à vide, puis à s'inquiéter...

Enfin, par SMS, je reçois une photo de mon ours qui a été filmé, paraît-il, ainsi qu'une invitation au pot de fin de tournage avant la pause d'août.

Mon vieil ours marron pansé avec les bas nylon de ma mère... En voilà un qui aura eu une sacrée destinée !

★

★   ★

Le vendredi 8 août, retour à Paris : je rejoins l'équipe, du moins une bonne partie, dans une brasserie près de l'Oratoire. Ambiance gaie.

Pascale me raconte les derniers jours du tournage, la scène finale où Diane et Madeleine se quittent pour toujours, se disent adieu sans se dire adieu : « Tout s'est passé dans un couloir. Une métaphore du passage, de la naissance », m'explique-t-elle. Puis Diane qui s'enfuit dans les escaliers, comme je l'ai fait moi-même, il y a douze ans...

Longue conversation entre nous.

Marthe était, paraît-il, très fatiguée à la fin de cette première partie du tournage. Sandrine également. Les scènes les plus intenses, les plus intimes ont toutes été tournées au début – une volonté de Pascale –, sans doute parce que ce sont elles qui donnent son sens à l'histoire, à ce lien exceptionnel d'une mère et d'une fille soudées par la mort. J'imagine l'effort, la tension que cela a dû demander aux deux actrices.

Me voilà aux côtés de Sanji, assistant à la caméra. Il se confie. Me dit qu'il n'a jamais vécu un tournage dans lequel il s'implique autant émotionnellement. Nous nous promettons de nous revoir plus tard.

Et puis c'est Sébastien, assistant stagiaire, qui se confie à son tour. Je l'avais remarqué près du combo, si précautionneux à mon égard que j'en étais troublée... Pour lui, ce tournage équivaut à un tournant. « Un tournant de vie, » m'avoue-t-il. « C'est ma première leçon », ajoute-t-il, faisant allusion à sa nouvelle existence dans le cinéma.

Je continue à échanger avec les uns et les autres, longtemps, comme pour m'inscrire encore davantage dans l'aventure, pour faire corps.

Et si c'était aussi une manière de ne pas la lâcher, cette histoire qui est mienne, mienne d'abord, mienne toujours ?

★

★   ★

Le film est à l'arrêt. Mon attention à la fin de vie, certes non !

Le 1er septembre, en revenant du marché, j'entends sur France Inter un entretien avec le docteur Kariger qui depuis tant d'années suit Vincent Lambert... Sa décision est prise : il lâche son service. S'explique sur son attitude. Il a le sentiment d'avoir été digne et respectueux. Il a eu le soutien du Comité d'éthique, des instances législatives, et « l'acharnement déraisonnable », selon la loi Leonetti, est avéré. Il a fait ce qui lui semblait moral de faire, avec l'appui de la femme de Vincent Lambert. La décision de la Cour européenne saisie par les parents de Vincent pour prolonger la vie de leur fils est un pas de trop ! Insupportable !

Oui, il a aussi subi des insultes, des pressions, des menaces.

Et oui, sa vie à lui sera ailleurs désormais, en gériatrie peut-être... Il est las. Il conseille vivement à tous les Français de rédiger leurs « directives anticipées » et de désigner une personne de confiance au cas où. Pour lui, ce sera sa femme. C'est elle qui le représentera, au nom de la loi. Au nom de l'humanité. Au nom de l'amour.

Je comprends la colère du docteur Kariger. Je la partage. Au point que je décide de relire une partie de l'énorme courrier que j'ai reçu, ces dernières années, en réaction à *La Dernière Leçon*. Je m'y replonge dans les derniers feux de l'été. Je retrouve, intacts, les sentiments que j'avais éprouvés à la première lecture, comme si je les avais reçues hier, ces lettres... Ne sont-elles pas la preuve que le combat mené demeure nécessaire, qu'il est légitime ? Chaque lettre m'apporte la certitude de son bien-fondé. Je ne dois pas capituler. Je ne dois pas renoncer. Il faut la poursuivre, cette bataille, coûte que coûte. Rien ne doit m'arrêter jusqu'à ce que les législateurs entendent ce qu'il leur est demandé au nom du droit républicain le plus précieux : la liberté !

Combien de fois l'ai-je martelé : « Le droit de mourir ne fait pas mourir. Au contraire ! » Pour ceux qui voudraient partir, la certitude qu'ils pourront le faire, librement, légalement, sans violence, le jour où ils l'auront décidé, cette pensée, oui, les apaiserait tant que, pour la plupart, ils renonceraient à se donner la mort. Ce n'est pas de mourir que les Français ont peur, mais de mal mourir.

Ma mère ne serait-elle pas restée davantage parmi nous si elle avait eu cette assurance d'une mort douce, entourée de nous, ses enfants, pour le dernier adieu ? Ces lettres me déchirent. Grande mélancolie.

Combien, parmi ces hommes et ces femmes qui depuis tant d'années m'appellent au secours, sont morts aujourd'hui, et surtout, comment ?

Rien n'a donc bougé depuis douze ans, au pays des droits de l'homme, sur la fin de vie ? Honte.

Trois ou quatre lettres d'insultes dans cette liasse, dont une qui me prédit l'Enfer... On verra. Dieu verra ! L'auteur de cette missive changera peut-être d'avis lorsque sa mère disparaîtra. Et ma destination ultime en sera peut-être changée par la même occasion !

Justement, j'ai trouvé au courrier du matin une lettre de Renée, une de mes correspondantes d'autrefois. Elle a connu ma mère. Maintenant elle subit, sans utilité aucune, sinon d'assister à sa propre indignité, opération sur opération. Elle souhaite partir comme ma mère. Me laisse un numéro de téléphone. Je l'appellerai, bien sûr. Pour l'aider moralement. La soutenir. Lui dire que nous travaillons à ce que la loi change...

Le 5 septembre, François Lambert, le neveu de Vincent, qui m'a téléphoné plusieurs fois, lance une tribune dans *Le Monde* sur Internet, ainsi qu'une pétition, signée de nombreux médecins, entre autres, pour obtenir qu'on « libère » son oncle.

Le 8 septembre. Un article dans le *Journal du Dimanche* fait état d'une mort choisie douce, sereine, en tout point exemplaire. J'allais dire enviable ! Ce média deviendrait-il notre allié ?

Tout cela ne justifie-t-il pas que la « leçon » du livre se prolonge, me dis-je ? Qu'elle reprenne le débat avec un film grand public, populaire ? Je compte les jours Le tournage va bientôt reprendre. J'y serai. Plus que jamais.

Demain, retour sur le tournage. Cette perspective m'enchante.

Hasard des programmes : ce soir, à la télévision, j'assiste, la rage au cœur, aux souffrances d'un couple dont le bébé prématuré a été victime d'une hémorragie cérébrale et que les réanimateurs, pour le moment, veulent garder en vie à tout prix, malgré le désaccord des parents. Axel Kahn, lui-même, parle d'acharnement thérapeutique.

Je demeure devant mon poste pour deux autres documentaires, l'un sur le service des grands prématurés d'un hôpital parisien, où sont abordées évidemment les questions éthiques. L'autre qui retrace l'histoire de l'accouchement en France.

Je regarde tout cela avec les yeux de ma mère. La toute jeune sage-femme en libéral, qu'elle fut autrefois, n'aurait pas détesté l'idée qu'en réclamant obstinément la présence des maris pendant les accouchements de leurs femmes, elle avait été une pionnière, et sur bien d'autres choses encore, comme sur la pertinence des Maisons de naissance, encore si peu développées en France.

Je jurerais que cette soirée, le hasard l'a programmée pour associer, une fois de plus, ma mère à la journée qui s'annonce...

Elle est si espiègle, cette mère, avec ses signes de l'au-delà !

★

★   ★

J'arrive sur le tournage. Pas à n'importe quel moment. Je le savais par le plan de travail. La scène en préparation, je ne la connais que trop. Même transfigurée par d'autres et dans un décor encore inconnu, je la connais.

Mardi 17 septembre – Saint-Mandé – Nous sommes chez Diane. Sandrine. La fille. Moi...

Appartement Diane – Salle à manger. Int. Nuit.
Ils sont réunis. Personne n'arrive à parler.
Dernier coup de fil de Madeleine. Elle est en paix.

Scène décisive s'il en est. C'est pour ce soir. C'est pour maintenant. Ce soir, Madeleine met fin à ses jours. Elle met fin à ce jour.

À quelques kilomètres, à Paris, chez elle, Diane attend un appel de sa mère mais le téléphone ne sonne pas. Madeleine a promis de l'appeler avant son geste, promis d'embrasser une dernière fois sa fille, Diane. Sandrine. Moi. De les embrasser. De m'embrasser...

J'arrive sur la pointe des pieds. Léger brou-

117

haha des derniers ajustements. Au milieu de considérations techniques, la voix de Sandrine : «Je t'aime, maman» me donne le vertige.

Je me dis : Mais c'est ton histoire, ma vieille ! Tu l'as vécue, cette attente du dernier appel ! L'interminable attente !

On vient m'embrasser discrètement. Ceux qui me connaissent. D'autres, avec lesquels j'ai moins de liens, me font un petit signe de la main. Sont-ils gênés de me savoir sur le plateau à ce moment-là du tournage ? Peut-être. Auraient-ils scrupule à tourner, devant moi, une telle séquence ?

Je m'imprègne de l'ambiance de l'appartement de Diane, censé être le mien...

«Pas mal ton appart !»

C'est Pascale qui vient vers moi.

«Oui... sympa, oui ! Euh... On est averti de ma présence ?

– Bien sûr. Tu es attendue.»

Laurence, la scripte, chaleureuse, m'offre la photo de mon ours qu'elle avait mise de côté pour moi avant les vacances. Son père est mort entre-temps. Elle me raconte. Nous nous embrassons, en orphelines, en sœurs.

Au déjeuner, je converse avec Max, le fils de Diane dans le film, qui ressemble étonnamment à mon Antoine au même âge, avec sa tignasse d'Africain blonde, et avec Victoria, une vraie Africaine, elle, qui dans le film joue le rôle d'une aide de Madeleine, très proche, très complice. Un beau personnage, une « sorte » de lointain rappel de ma sœur Agnès.

Avant la reprise, je vais embrasser Sandrine au maquillage.

« J'espère que je ne gênerai pas !

– Mais non ! Tu sais bien ! Au contraire !

– Marthe est là ? »

Sandrine médusée... Mais non ! Mais non ! Marthe n'est pas là, voyons ! Et pour cause ! Elle ne pourrait être que dans sa maison à elle, en train de préparer son départ, sa mort, si du moins la scène n'avait pas déjà été tournée au mois de juillet ! Évidemment ! Évidemment ! C'est ce qu'on appelle une confusion ! Une énorme confusion ! Elle déclenche entre Sandrine et moi un beau fou rire.

Après le rire :

« Enfin, *elle* est là quand même... dis-je.

– Oui. Elle est là, dans nos cœurs », répond Sandrine.

★

★   ★

La mise en place de la séquence est en cours.

Je me suis assise au fond de la salle à manger, derrière la grande table, repoussée pour dégager le salon où doit se jouer la scène, et encombrée de mille objets du décor. Quand je le peux, je préfère voir le jeu en direct plutôt que derrière le combo.

Côté salon, autour de la table basse : Victoria, Max, Clovis (le mari de Diane) et un nommé Didi, le voisin (un Black vaguement décalé qui fait office d'ascenseur pour Madeleine, en la portant dans les escaliers quand elle est trop épuisée pour monter à pied ses deux petits étages). En face, dans un fauteuil, Sandrine, à portée du téléphone dont on attend qu'il sonne. Sur la table basse, une bouteille de bordeaux, des verres.

Indications de Pascale pour chacun des acteurs. Elle se tourne vers moi :

« Ah ! C'est bien que tu sois là, Noëlle !

Quand Sandrine dit "je n'ai plus de maman", vous avez trinqué, n'est-ce pas ? Levé vos verres ? C'est cela ?

– Oui. Pour la saluer. Pour l'honorer !

– C'est bien ! répond Pascale. On va le faire ! »

La mise en place est terminée. Place aux électros, à la lumière. Je me promène dans « mon » appartement. Je tombe sur Didi. Nous parlons. Il représente à lui seul tous les jeunes paumés du voisinage. Son personnage éclaire le côté anticonformiste de Madeleine. Dans la réalité, tous ces petits chenapans l'aimaient bien, cette vieille dame si peu ordinaire qui ne les craignait pas et, même, leur imposait le respect.

« C'est vrai que votre mère taguait le magasin d'à côté ? » me demande l'acteur. Je confirme.

Répétition.

Cette fois, on va tourner à deux caméras. Silence.

Je m'approche de Pascale et lui glisse à l'oreille que lorsqu'on a trinqué, levé nos verres, il n'y a pas eu de désespoir. Plutôt de l'admiration. C'est important ! Pascale l'entend. Elle va le dire aux acteurs. Je retourne dans la salle à manger. Jamais je ne me suis sentie aussi impliquée, en osmose avec le tournage. Je sais que je le dois à Pascale.

Silence ! Moteur demandé ! Ça tourne ! 120/ première ! Action !

« Pourquoi elle n'a pas appelé ? » dit Sandrine.

La scène se joue avec les répliques des uns et des autres, les silences, la tension. Extravagance de la situation à attendre un dernier appel de celle qui va mourir. Est-ce que je me retrouve dans cette scène ? Jusqu'où ? Ce que j'ai vécu, il y a douze ans, en vrai (comme disent les enfants), avec une poignée d'amis et mon compagnon Uli (Clovis au casting), est-ce que je le revis ?

Je suis émue, certes. Tout le plateau est ému, jusqu'au moindre participant. Mais comment ?

Je rejoins Laurence. Je lui fais part de ma difficulté à définir la matière exacte de cet émoi, « à faire le point » – comme on le dit d'une prise de vue – avec lui. Le sentiment de dépossession et de réincarnation, comme dans la scène de la salle de bains, revient, mais plus intense encore, plus complexe.

Sandrine et moi sommes confondues sans

l'être tout à fait. Sandrine joue. Oui, mais je la regarde jouer et elle le sait. Une désincarnation consentie, comme consentie « la trahison » du film par rapport à la réalité ? Oui.

Clap ! *Moteur !* Clap ! *Moteur !* Le travail avance. Pas à pas. Et l'émotion pour moi, toujours là, avec sa part de mystère.

Plans de coupe. On va venir sur Sandrine en gros plan. Elle sort pour respirer. Fumer une cigarette. Je ne la dérangerai pas.

Pendant que le plan se prépare, Pascale et Laurence me montrent des images des cauchemars de Diane, tournées il y a quelques jours.

On va tourner ! Silence ! Moteur demandé ! *Ça tourne ! Annonce ! Action !*

Nous sommes sur le visage de Sandrine : « Pourquoi n'a-t-elle pas appelé ? Pourquoi elle n'a pas tenu sa promesse ? Je n'ai plus de maman... »

Oui, je l'ai dit, cela. « Je n'ai plus de maman », il y a douze ans. Je l'ai dit sans larmes, comme désincarnée justement. D'une voix neutre. Abstraite.

Sandrine s'effondre. Clovis la prend dans ses bras. Pleurs. De vrais pleurs. Terribles. Déchirants.

Coupez !

Sandrine a l'air chavirée. Je n'ose pas bouger. L'équipe de tournage vaque. On laisse Sandrine à elle-même, par respect pour ses vraies larmes, sans doute.

De loin, je la vois, tremblante dans son fauteuil. Dois-je m'approcher d'elle ? La réconforter ? La remercier ? Oui. J'y vais...

Je l'entoure de mes bras. Elle veut bien. Se laisse bercer. Je prononce deux mots : « Terre romaine », la petite pierre-talisman venue de ma mère. Ce qui veut dire : « Tu es forte, invincible, comme cette pierre qui a résisté au temps. » Elle sourit. Elle comprend. Quelle belle personne ! me dis-je.

Soudain : la poisse ! On doit refaire le début du plan pour un problème d'ombre...

Sandrine a tout donné et il faut recommencer ! Retourner la scène. Raccord maquillage. Effacer les pleurs.

Sandrine reprend, et tous avec elle, à l'unisson. L'intensité de son jeu demeure intacte. C'est magnifique.

Pascale demande : « Tu veux une dernière prise ?

– Oui, répond Sandrine. Ce n'est pas tout à fait ça. »

Que cherche-t-elle ? C'est quoi « ça » ?

Raccord maquillage. Effacer les pleurs. Personne ne bouge. Respect. Respect pour la comédienne qui se cherche. Quelle épreuve ! *Silence ! Moteur demandé ! Ça tourne ! Annonce ! Action !*

La dernière prise est superbe.

Pascale va remercier son actrice, puis vient vers moi.

« Tu sais, Noëlle, Sandrine a dû jouer la scène comme tu l'as vécue...

– Elle te l'a dit ?

– Oui. Oui. Elle me l'a dit. »

Je laisse Sandrine à elle-même. Ne pas en rajouter. La laisser tranquille. Ce qu'elle a vécu lui appartient.

Entre les prises, pendant les prises, je sens sur moi les regards des uns et des autres. Sans doute se demandent-ils toujours ce qui se passe dans ma tête.

Ce qui s'y passe ? Le sais-je moi-même ?

Il me semble que c'est Sandrine, Sandrine la comédienne, qui me fait monter les larmes aux yeux. Il me semble que je regarde une scène émouvante jouée par une remarquable actrice.

Cette impression se confirmera lorsqu'on fera, plus tard, un « son seul » de ses larmes qu'elle imitera fort bien, sans la moindre émotion. Des pleurs factices. N'être, ne plus être le personnage, c'est cela aussi le travail de la comédienne.

Maintenant la caméra est sur Victoria, l'amie africaine de Madeleine qui, elle aussi, l'attend, l'appel qui ne vient pas, dans un silence angoissé. Sur une idée de Pascale, elle va chanter, a capella, un chant de son pays.

Je pense aux liens de ma mère avec le Mali, à son attraction pour l'Afrique où elle est partie, comme sage-femme, tardivement.

En écoutant ce « mapassa », ce chant rituel de la naissance (comme me l'expliquera plus tard Victoria), j'ai le sentiment que j'y suis, cette fois, dans notre propre histoire, notre dernier adieu à ma mère et à moi. Sans mélancolie, sans chagrin, tranquille. Comme je le suis depuis douze ans. Mais j'y suis.

★

★   ★

19 septembre 2014.

Il faudra deux jours entiers de tournage pour filmer « l'Annonce », pour laquelle, là aussi, j'ai tenu à être présente.

« L'Annonce »... Ce terme, un peu biblique, c'est celui que j'emploie toujours pour évoquer ce déjeuner d'anniversaire où une mère annonce à ses enfants réunis la date de son départ choisi. Je l'utilise également dans le récit, *La Dernière Leçon*. Il me convient. Il convient à la dimension solennelle et déflagratrice de l'événement.

J'ai retrouvé ma place derrière le combo, à côté de Laurence. À elle, plus proche que jamais, je raconte au creux de l'oreille que ce matin, en faisant couler l'eau du bain, j'ai entendu chanter ma mère... Cela ne la surprend pas. Nous sommes bien plus nombreux qu'on l'imagine à accepter ces signes irrationnels...

Dans le film, comme dans le récit, cette scène de l'Annonce se situe au début de l'histoire. Point de départ du « drame » à venir, c'est de ce choc des consciences que tout va découler pour les sept personnages de cette tribu fictive rassemblés autour de la table familiale : Diane, son mari Clovis, leur fils Max, 21 ans, d'une part, le frère de Diane, Pierre, avec sa femme Caroline et leurs deux filles, Lou, 8 ans, et sa sœur Camille, 12 ans, d'autre part. Une famille ordinaire, s'il en est.

Retrouvailles heureuses avec Marthe (qui m'a envoyé un petit mot gentil durant le mois de pause) et amicale, toujours, avec Antoine Duléry dans le rôle de Pierre.

Salut à Emmanuelle Galabru, qui tient le rôle de Caroline, la femme de Pierre. À peine croisée, elle se confie. Ce film n'est pas neutre pour elle. Elle sait déjà qu'il lui fera faire un chemin dans sa propre compréhension des choses de la vie.

Ivan, vieil ami d'Antoine que j'ai connu adolescent, est à la caméra pour le making of. Discret, furtif, il se déplace ici et là, caméra à l'épaule. Les répétitions ont commencé. C'est le moment où Marthe découvre la table de fête que lui ont préparée ses enfants et ses deux petites-filles. Regard émerveillé, aussitôt voilé d'appréhension, car elle est la seule à savoir ce qu'elle va leur annoncer...

Entre deux prises, je ménage un tête-à-tête avec Marthe. Je lui confie des impressions que j'ai éprouvées pendant ce mémorable repas. Combien j'ai trouvé ma mère pensive, son regard s'attardant sur chacun de ses enfants comme si elle ne devait plus jamais les revoir, combien elle semblait absente aussi à d'autres instants, et comme j'ai compris, très vite, secrètement, ce qu'elle se préparait à nous dire.

Marthe m'écoute : « Oui ! Oui ! C'est cela ! C'est ce que je sens aussi. Et un sentiment de culpabilité aussi ?

– Peut-être, mais pas d'hésitation pour autant !

– Oui. Bien sûr ! Sa décision était prise ! »

De nouveau, nous commentons l'atmosphère particulière du tournage. L'enthousiasme pour elle à s'y rendre chaque matin.

Je retourne derrière le combo où j'évoque Gisèle Casadesus avec Laurence. Non, décidément, elle n'aurait pas eu la force de supporter un tel tournage. Oui, la vieillesse extrême doit se *jouer*. C'est un travail d'acteur.

Aparté avec Lou et Camille, les petites-filles. Jusqu'à quel point comprennent-elles de quoi il est question ? Il faudra leur demander...

Au déjeuner qui suit, nous conversons, Marthe, Sandrine et moi. Je reviens sur la scène de « l'attente », les sanglots de la veille. Sandrine insiste : ma présence a sans doute décuplé ses larmes. Elle s'est sentie elle et moi. C'était très fort, « galvanisant », redit-elle. Plus étonnant encore, elle s'aperçoit qu'au fur et à mesure du tournage elle s'identifie non seulement à moi, mais aussi à ma mère, aux deux alternativement et, du même coup, de plus en plus, adhère-t-elle à mon combat sur la fin de vie. Nous rentrons ensemble sur le plateau. Marthe et Sandrine sont radieuses. Heureuses de ce cheminement commun d'actrices et de femmes.

Avant d'enchaîner sur les scènes de l'Annonce : exercice sur le plateau qui pourrait surprendre un non-initié. On demande à Sandrine et Marthe un « son seul » qui devra accompagner une scène déjà tournée : la cavale, quand mère et fille se sauvent de l'hôpital et que Diane porte sa mère sur son dos.

« Tu me tiens bien, hein ? crie la mère entre deux rires.

– Oui, oui, je te tiens ! » répond la fille, folle de joie.

Répété une bonne dizaine de fois, hors du contexte, sur des tons différents, ce dialogue incongru, intense, devenu drôle me donne à moi la chair de poule. Je sais pourquoi. Cette réplique scande le récit que je fais, dans le livre, de la fameuse fusion mère-fille, la posture gigogne. L'une portant l'autre vers son destin choisi. Tout le plateau est en liesse et moi mélancolique...

Derrière le combo, je poursuis avec Laurence la conversation sur cette fameuse identification qui me tient tant à cœur. Laurence s'est rendu compte, elle qui voit tout, que chacun, sur ce tournage, s'est identifié dès le départ à l'un des personnages que sont Diane, Marthe ou Pierre, mais que les choses ont bougé petit à petit. Contrairement à elle, elle « est, et restera, Pierre », celui qui ne comprend pas, décidément, le geste de la mère. Je ne désespère pas qu'elle aussi change d'avis ! Rires.

C'est par Laurence que j'apprendrai plus tard qu'un meurtrier belge condamné à perpétuité et pétri de remords demande à être euthanasié...

En croisant justement Antoine Duléry (Pierre donc), je ne peux m'empêcher, du coup, de lui rappeler que, dans la réalité, aucun de mes deux frères n'a cherché à s'opposer au choix de notre mère. Ils ont été, j'insiste, si respectueux de sa volonté... Antoine Duléry me sourit : il le sait. Je le lui ai dit à peu près dix fois ! Rires.

Dans la succession des plans de l'après-midi, le visage de Marthe est de plus en plus bouleversé. Le moment approche où elle va sortir son petit papier sur lequel elle a écrit ce qu'elle veut dire à ses enfants...

Ce moment sera pour demain sans doute, car le soir approche et, avec lui, le pot prévu sous les arbres, en bordure du bois de Vincennes, dont nous sommes voisins.

Là encore, toute la « petite famille » du film est réunie dans une atmosphère chaleureuse, avec la production au grand complet. On me parle du *teaser* à venir, ce court film d'une à deux minutes destiné aux distributeurs. Marc Missonnier me promet de me l'envoyer.

C'est alors que Marthe, auprès de laquelle je m'assois un moment, me dit comment, à peine sollicitée, elle a eu la certitude, « dans son âme », qu'elle ferait ce film, qu'il « l'attendait » en quelque sorte...

Je profiterai de ce pot pour remercier toute

l'équipe, dire ma reconnaissance, qui est sincère, oui, et mon sentiment de faire partie de cette équipe, de cette histoire qui, pour moi, prolonge celle de l'écrit. J'explique aussi pourquoi je prends tant de notes sur le tournage. J'évoque le livre qui devrait accompagner la sortie du film.

Coucher de soleil flamboyant.

*

* *

Deuxième journée de l'Annonce, ce lundi 22 septembre, dernier jour de l'été.

La veille au soir, nous nous sommes retrouvées, Sandrine et moi, à une soirée associative au cirque Romanès. Au retour, elle est revenue sur son travail : « Toujours cette peur de ne pas être à la hauteur de ce que toi, Noëlle, tu as vécu, dans la réalité, avec ta mère... »

Cette peur, je la comprends. Je mesure la difficulté du rôle, qui plus est en ma présence, même amicale.

« Je ne sais pas ce que sera ce film à la fin, a-t-elle ajouté. Mais ce qu'on vit, toi et moi, on l'aura vécu ! »

Avais-je été, moi-même, à la hauteur du récit de ce que j'avais vécu ? Je m'étais posé si souvent la même question du dire, du faire, avec l'écriture de *La Dernière Leçon*...

Aujourd'hui, ma sœur aînée, Agnès, vient assister au tournage, où je ne resterai qu'une heure, ce matin. C'est à Agnès, notamment, que j'ai dédié le livre. Elle et moi savons pourquoi.

La venue de ma sœur, que Pascale a rencontrée pendant l'écriture du scénario, n'est pas rien. Si je l'ai conviée, avec l'accord de Pascale, ce n'est pas par pur hasard. C'est avec elle que je veux la voir être tournée, cette scène de « l'Annonce », qu'elle a vécue aussi, il y a douze ans. La revivre ensemble ?

Antoine est là, avec Ivan qui filme. Étrange mélange soudain du réel et de la fiction sur le plateau.

Première fois qu'Agnès assiste à un tournage, et c'est celui-là ! Aux uns, aux autres, je la présente d'une phrase on ne peut plus claire : « Ma sœur. Elle était là ! » La phrase se suffit à elle-même.

J'installe Agnès derrière le combo, avec les écouteurs. Elle est visiblement impressionnée, émue par le décor, la table d'anniversaire et l'ambiance qui règne là, au moment de la première prise.

Nous reprenons la séquence d'hier soir à l'instant où Madeleine déplie son petit papier où elle a écrit ce qu'elle va dire à ses enfants. Leur annoncer. Annoncer sa mort.

Dans la réalité, ma mère n'avait pas de papier, mais elle s'était levée. Marthe est très concentrée. Elle mesure l'importance de cette scène inouïe. Elle est très pâle. Très secouée déjà. Elle a doublement peur, je pense. Son texte est long, difficile, autant que terrible à dire.

Silence ! Moteur demandé ! Ça tourne ! Annonce ! Action !

« Mes enfants chéris... »

Coupez !

Je ne peux me détacher ni de la scène ni de ma sœur suivant la scène, derrière le combo.

Agnès a les larmes aux yeux : « Tout me revient », chuchote-t-elle. Je l'embrasse.

« Ça va passer, s'excuse-t-elle, mais cette scène est gravée à tout jamais... » Oui ! Gravée ! Pour elle. Pour moi. Pour tous ceux qui l'ont vécue.

On vient me prévenir que la voiture de la régie m'attend pour m'emmener à la gare pour un déplacement en province.

Il me faut m'arracher à ce moment extrême.

Je file par la cuisine.

Valérie Corno m'attend. C'est Valérie, le plus souvent, qui vient me chercher pour m'amener sur le tournage, et avec elle j'ai, à chaque déplacement, des conversations personnelles, riches. Elle me conduit à la gare Montparnasse. C'est bien. Nous sommes assez en complicité pour que les larmes ne soient pas un problème. « L'émotion de ma sœur m'a émue ! » dis-je. Mais j'ai du mal à me reprendre.

Je ne l'entendrai pas, la phrase : « Ce sera donc le 17 octobre. » Ma sœur l'entendra pour moi. C'est bien ainsi. Notre lien rend la chose possible.

Dans le train qui m'emmène vers Brest pour une conférence sur la vieillesse, celle, entre autres, qui donne à certains l'envie de partir un peu avant l'heure, je pense au tournage qui se poursuit.

C'est la deuxième fois que je revis cette scène inoubliable.

La première, c'était pour l'écriture du livre.

Entre ces deux fois, onze ans ont passé, mais l'intensité de la scène reste inchangée. Bientôt, c'est dans une salle obscure que la scène va faire son œuvre sur un spectateur. Un spectateur ordinaire. De ses sentiments, j'ignore tout. De ses sentiments, j'espère le meilleur.

Quant à ma sœur, que j'appelle le soir même, elle me dit avoir été très heureuse d'avoir pu dire à Marthe combien elle était « juste ». Un mot qui, décidément, me semble d'importance pour cette métamorphose de l'écrit à l'écran. Pour cette passation si délicate.

★

★   ★

À mon retour, je décide de me rendre un moment sur le tournage pour suivre, de plus près, le personnage de Pierre, le frère. À lui seul, il représente la position inverse de celle de Diane, par son refus de cautionner le projet de leur mère. Il est celui qui, jusqu'au bout et concrètement, s'y opposera.

Depuis que j'approfondis, année après année, la question de la fin de vie et, tout particulièrement, la mort choisie et assistée, j'ai bien entendu les arguments de ceux qui n'y adhèrent pas. Je les respecte. J'en fais l'analyse, le plus objectivement possible, avec des proches, ou des moins proches. Aucun sectarisme, donc, de ma part, même si je demeure ferme sur mes convictions personnelles avec lesquelles, autant que je le peux, je m'évertue à convaincre.

Le scénario me donne l'occasion d'approcher « les opposants ». Les voir incarnés par Antoine Duléry m'intéresse. Ce jour-là, dans l'après-midi, je rejoins l'équipe dans l'appartement dit de Pierre.

Aussitôt arrivée, pendant la préparation d'un plan, j'entre en conversation avec Pascale et Laurence, qui a excité ma curiosité en affirmant son hostilité à la décision de ma mère. Pascale est étonnée de découvrir que sa scripte, et amie, s'identifie ainsi, si fortement au personnage de Pierre. « Les parents sont responsables de leurs enfants, explique Laurence. Une mère n'a tout simplement pas le droit de faire cela à sa fille. » En insistant, j'apprends que la mère de Laurence s'est laissée mourir à 66 ans, malgré sa

fille, son petit-fils. « Elle nous a abandonnés »,
conclut-elle.

Antoine Duléry nous rejoint.

« Et toi, Antoine, tu comprends le geste de
ma mère ? lui dis-je.

– Oui, absolument. »

Un contre-emploi donc, pour lui, que ce
rôle du frère ?

« Oui.

– Comment joue-t-on ce décalage ?

– C'est cela, le métier d'acteur ! Pour le
contre-emploi, me dit-il, il faut chercher l'émotion ailleurs, dans autre chose que le sujet dont
il est question. C'est un truc de comédien. »

Je sais qu'au départ il était question qu'il
interprète Clovis, le mari de Diane.

« Mais le rôle de Clovis, je l'ai beaucoup
joué ! Pascale souhaitait me voir en souffrance
et moi aussi ! »

Ces plans de « souffrance » tournés ce matin,
justement, Laurence me les montre sur le combo.
Des contrechamps (avec Sandrine) où Pierre
s'oppose silencieusement à sa sœur, refuse de
rendre visite à sa mère une dernière fois pour

manger du quatre-quart à la vanille, son gâteau préféré.

Gros plans sur le regard de Pierre : yeux grands ouverts, perdus devant ce que le destin lui demande.

«Arrête de déconner, dit Sandrine, c'est maintenant !»

Regard dur de Pierre. Ses yeux qui se ferment. Toute la souffrance du frère, elle est là, intensément éprouvée. Même si elle est feinte. Oui, la souffrance se joue, même si on la cherche ailleurs, dans un lieu mystérieux de soi qui ne regarde personne. Antoine Duléry semble heureux que nous la visionnions ensemble.

Pendant ce temps-là, on est fin prêt, à l'étage, dans la chambre de Lou et de Camille, les deux filles de Pierre qui vont parler, entre elles, de la mort de leur grand-mère, de la mort en général.

C'est le moment de poser ma question au père des deux petites actrices.

«Oui, la grande a lu le scénario en entier, et elle a pleuré, à la fin. Elle sait très bien de quoi il s'agit.»

Non, elles n'ont pas peur de ce dialogue

sur la mort. Les enfants sont parfois plus mûrs que les adultes, me dis-je en pensant à l'aînée de mes petites-filles pour qui la mort n'est pas un sujet tabou.

Pour autant, je ne lui ai pas encore dit comment son arrière-grand-mère était partie. Ça viendra. Quand il sera temps pour elle. La mort s'apprend, comme la vie.

★

★   ★

Depuis que le film se fait, je vis autrement mon engagement sur la fin de vie, autrement les diverses interventions que je multiplie sur le terrain. Le tournage actualise encore davantage le sujet. Grâce à lui, celui-ci se réincarne, reprend chair. Le film fait revenir au galop les sentiments, les sensations d'il y a douze ans, revigorés, en quelque sorte, revivifiés.

Aujourd'hui, je me trouve à Quimper. Dans le grand amphi bondé de l'université, je viens témoigner, une fois de plus, du bien-fondé du droit à mourir, à l'exemple de ma mère : « Que voulait-elle cette vieille femme, cette sage-femme, cette femme sage ? » Cette question lancinante, qui ponctue mon intervention, je la pose, la repose encore, avec le sentiment que ma mère me la souffle.

Intensité de l'écoute. Je sens ma voix vibrer.

Il y a quelque chose d'une communion laïque, ici, à Quimper, quelque chose d'une grande beauté.

Je termine mon intervention dans un long silence.

Soudain, toujours dans le silence, un homme d'origine antillaise descend la travée jusqu'à moi. Il saisit mon micro.

« Je suis médecin. J'ai connu votre maman, madame, dit-il. Je l'ai vue et entendue à l'Assemblée nationale. Vous étiez à ses côtés. À la tribune, elle a cherché, sans succès, le papier qu'elle avait préparé pour son intervention. Faute de quoi, elle a improvisé. Elle était magnifique ! Je la retrouve en vous, madame. Elle vit à travers vous qui avez pris sa place dans son combat ! »

Sourire. N'est-ce pas la pure vérité, cette sensation du double ? Je me souviens qu'un jour, présentant mon livre à la librairie Kléber de Strasbourg, j'ai dit à l'assistance, en me retournant : « Mais vous ne la voyez pas ? Elle est là ! »

Et tout le monde avait ri...

Au médecin, plus tard, en quittant l'amphi, je raconte que son pense-bête, son fameux « papier », m'a mère l'avait retrouvé, le lendemain, au fond de son lit !

C'est elle alors qui avait ri !

★

★   ★

Le tournage crée en moi une addiction. Je n'en suis pas surprise. J'aime, je l'ai dit, son rituel. L'apprentie comédienne que j'ai été autrefois s'y retrouve en terrain connu.

Nous sommes à Charenton, sur le décor du lycée où Diane enseigne. Voir Sandrine dans ce rôle d'enseignante m'attire aujourd'hui.

Je profite de ma venue pour permettre à l'arrière-petite-fille de ma mère, Coline, d'assister avec ma sœur au tournage du jour, ce qui n'est pas rien pour la petite...

Mon fils est présent également, avec Ivan, toujours pour le making of.

Entre deux prises, je vais embrasser Sandrine.

Première scène. Importante, cette séquence du couloir (l'une des seules qui restera du lycée), où elle va être rattrapée par son drame intérieur quand un élève lui promet de lui rendre son devoir, le 17 octobre, la date annoncée de la mort de sa mère. Le jour J... « J'ai vécu un peu cela, tu sais, ce sentiment d'être deux, dis-je à Sandrine, une qui enseigne, dans la quotidienneté, en apparence normale, l'autre qui est ailleurs, dans le compte à rebours de la mort annoncée, l'angoisse du temps qui s'écoule, inexorablement.

– Le dédoublement, oui, c'est cela ! » répond Sandrine.

Nous nous sourions.

Derrière le combo, le père de Pascale est là. Je lui demande ce que lui inspire le sujet du film dans lequel sa fille s'investit.

« C'est un vrai sujet de réflexion, estime-t-il.

– Et le geste de ma mère, vous en pensez quoi ?

– Je ne prends pas parti. Ni pour elle, ni contre elle. Il faudrait le vivre pour savoir. »

Il a tellement raison !

Deuxième scène. Dans le couloir va avoir lieu un affrontement entre Diane et Catherine (Barbara Schulz), une collègue, sur la vieillesse et la dépendance. Deux postures contradictoires : celle de Diane qui défend sa mère, et celle de Barbara qui décide, de haut, pour la sienne. Se débarrasse du problème en quelque sorte.

« T'as déjà été vieille ? À te faire pipi dessus ! Oublie un peu ma mère ! Occupe-toi de la tienne avant qu'elle meure de chagrin ! » lance Sandrine, hors d'elle, à sa collègue.

Pour le débat sur la fin de vie, cette altercation est fondamentale. On y voit s'opposer deux conceptions contradictoires, et le public certainement s'identifiera à l'un ou à l'autre des personnages.

Que faire de nos vieux parents ? Jusqu'où respecter leur volonté ?

Ici se pose également la question de l'empathie que j'ai longuement développée dans le livre.

Diane, la fille, a déjà beaucoup appris de sa « dernière leçon » à ce moment-là du scénario. Elle a parcouru du chemin. Elle peut maintenant se mettre *à la place* de Madeleine pour comprendre et accepter, de l'intérieur, sa décision, ce que moi-même, j'ai dû faire, il y a douze ans, avec ma mère.

Je repense aux lettres que j'ai relues, aux

145

appels déchirants de toutes celles et ceux qui suppliaient, au nom de l'empathie et de la liberté, qu'on respecte leur volonté de mourir, en prenant ma mère à témoin.

On est là au cœur du problème de la souffrance des aînés.

À travers à la fois les dialogues et la direction des acteurs, il paraît clair que le film, même s'il permet le débat, a choisi son camp. C'est Diane qui devrait sortir victorieuse de ce combat idéologique dans le couloir du lycée. Vers elle que devrait aller l'assentiment des spectateurs ?

★

★   ★

28 septembre, grande page dans le *Journal du Dimanche* sur l'euthanasie, plus exactement à propos de la femme de Vincent Lambert, Rachel. Idem dans *Libération* et au journal de 20 heures de France 2, à l'occasion de la sortie de son livre. Rachel Lambert témoigne avec force :

« Pour Vincent, c'était inacceptable d'être dépendant ! L'année de notre mariage, en 2007, il m'a fait promettre que si quelque chose lui arrivait, je ferais ce qu'il faut pour qu'il parte !

On en avait parlé et reparlé avec lui... Les médecins se sont montrés humbles », affirme-t-elle, regrettant que le débat sur la fin de vie devienne à ce point passionnel, que la France s'invite dans leur intimité. Le cœur se serre lorsqu'elle poursuit : « J'agis par amour, par respect des vœux échangés. Vincent, je veux le laisser partir parce que je l'aime... »

Le visage de Rachel, noble, épuisé, me renvoie à celui de Vincent, qu'on a vu et revu, cloué sur son lit, le regard tourné vers un point, invisible pour nous, de la douleur indicible. Ces deux êtres unis pour le meilleur et séparés dans le pire déchirent ma conscience et celle de beaucoup de nos compatriotes.

Mais il faut beaucoup de sang-froid et raison garder car, parallèlement à Vincent Lambert, devenu « affaire », nos consciences doivent affronter une autre demande d'euthanasie infiniment plus complexe. France Info revient en écho sur la demande de suicide assisté de ce détenu belge (celui dont Laurence m'avait parlé). Ce violeur en série de 52 ans, déclaré irresponsable et derrière les barreaux depuis 30 ans, à qui on a, semble-t-il, refusé une institution psychiatrique, invoque une souffrance psychique intolérable et réclame une peine de mort, ce qui suscite un grand malaise en Belgique, où l'euthanasie, on le sait, est légalisée depuis longtemps.

Voilà de quoi attiser la vindicte de ceux qui craignent en France le risque de « dérives » associées à l'euthanasie. Le fait est que le droit de mourir occupe, décidément, les esprits.

Le film qui se prépare, discrètement pour le moment, fera-t-il son œuvre sur les consciences à sa sortie, comme je l'espère ? Encore une fois, entrera-t-il dans le débat à sa juste place ?

Je suis si impatiente de le savoir.

★

★   ★

L'hôpital public, je l'ai écrit ailleurs, réveille en moi des sentiments très forts. Ma mère, formée à sa rude école, ne jurait que par lui. Elle le connut en soignante puis, plus tard, en soignée. Impossible, donc, de ne pas y être, à ce moment du scénario, où Madeleine s'y trouve confrontée.

Début octobre. Un changement de décor, de dernière minute, fait que les scènes d'intérieur vont se tourner dans un très ancien hôpital parisien, en partie déserté, dont l'ambiance désuète convient fort bien à la mélancolie.

L'affrontement grandissant entre Diane et Pierre doit se concrétiser au pied du lit de leur mère, hospitalisée, à son cœur défendant, pour un malaise.

Silence ! Moteur demandé ! Ça tourne ! Annonce ! Action !

Réveil de Madeleine sous le regard de ses deux enfants. La scène est rude. Sur le lit, un petit carnet où Madeleine a noté scrupuleusement les gestes du quotidien qu'elle ne peut plus faire. Ce carnet, témoin de son handicap, sa fille va le lire vraiment, contrairement à son frère.

« Tu vois, ça, c'est moi maintenant... c'est ma vie... ou ce qui m'en reste... tout ce que je vous demande, c'est de me laisser partir... » dit la mère.

Entre deux protestations, entre deux colères, Antoine Duléry / Pierre vient vers moi.

« Ces phrases je les ai entendues si souvent ! » lui dis-je en souriant.

Accolade chaleureuse...

La scène suivante où Madeleine et son compagnon de chambre vont plaisanter avec l'infirmier sur leur souhait commun de mourir, je suis sûre que ma mère l'aurait applaudie.

La truculence, la drôlerie, l'absence de mélo, n'est-ce pas tout cela qu'elle voulait aussi pour sa mort ? N'est-ce pas sur ce rire, salvateur, que s'est construite sa leçon, sa leçon de vie ?

Au déjeuner qui suit, Emmanuelle Galabru me prend à part. Décidément, me confie-t-elle, ce film et son message la font étonnamment bouger sur bien des questions qu'elle se pose sur la vieillesse et la dépendance.

Puis Pascale me raconte la scène, tournée hier, où tous les vieux malades du service se mettent à chanter dans la nuit, à l'unisson, la chanson de Bécaud : « Et maintenant, que vais-je faire, de tout ce temps, quelle sera ma vie ? » J'imagine bien la force de cette scène si éminemment symbolique. Ce chant commun, ce cri collectif, n'est-il pas celui que j'entends au travers des lettres que je ne cesse de recevoir, comme des cris lancés dans la nuit de la solitude ?

Avec Marthe assise à mes côtés, nous parlons du métier de ma mère. De la sage-femme qu'elle a été, et est restée, avec passion. Du tournage du lendemain où elle doit assister une femme en train d'accoucher en catastrophe dans le jardin de l'hôpital. Elle a déjà lu le livre de Maï, jeune sage-femme et grande amie de ma mère. Un livre sur les accouchements qu'elle a pratiqués, et que j'ai préfacé autrefois. Maï viendra sur le tournage en « experte » pour la conseiller.

Marthe appréhende cette séquence particulière. Moi, je suis aux anges. Tout ce qui touche aux sages-femmes me ravit. C'est ainsi.

Est-ce pour cette raison que le plan où Madeleine, de sa fenêtre, regarde avec une émotion mêlée de gratitude le service de maternité me bouleverse autant ?

Mettre au monde, sortir du monde. Un seul et même geste. Dans la joie. Pourquoi pas ?

Sur mon carnet à moi, mon carnet de notes qui ne me quitte pas sur le tournage, j'ai écrit : « l'Accouchement ».

Dans le documentaire la concernant, ma

mère explose lorsqu'on lui parle de son métier de sage-femme à l'imparfait : « Une sage-femme demeure *toujours* une sage-femme ! » proteste-t-elle.

Être sage-femme, c'est bien plus qu'une profession, c'est un état mental. Une posture morale. Mettre au monde, c'est participer du monde. Vivre en primeur sa solennité, sa grâce.

Mémorable sera la séquence de l'Accouchement, ce vendredi 3 octobre, au centre de périnatalité de l'hôpital du Vésinet !

Cadeau d'été indien : un soleil chaud, protecteur. La voiture de la régie nous conduit jusqu'au plateau, grâce aux pancartes LDL. Il me faudra quelques minutes pour comprendre que ce sigle signifie « La Dernière Leçon ».

Qui aurait cru ? Pensée pour celle par qui elle me fut donnée...

C'est Maï, justement, sur laquelle je tombe dès mon arrivée. Elle est là, cette « grande amie » de ma mère, devenue la mienne si naturellement. Une compagne de combat pour défendre le métier de sage-femme, toujours à redéfinir, les siècles passant. Maï et ma mère ont bourlingué ensemble, en dépit de leur différence d'âge, sur les mêmes ancestrales valeurs et exigences de leur profession. Entre elles, c'était plus qu'une amitié, c'était un pacte de confiance, une présence réciproque. Aujourd'hui celle de Maï est si symbolique ! La « dernière leçon » transmise par ma mère, elle en fait intimement partie. Cette « leçon », Maï, comme son aînée, ne la dissocie pas de l'accouchement. « Les sages-femmes sont les témoins de cette éclaboussure de vie et de mort mêlées », de cet « instant sacré » qu'est la mise au monde, m'écrira-t-elle plus tard. Pour elle, c'est bien en sage-femme que ma mère, sa grande amie, est partie, et en sage-femme aussi qu'elle m'a confrontée au « passage » vers la mort.

Maï est en train de faire des photos du « bébé » qui va naître par la magie du cinéma.

« Alors, que penses-tu de Marthe ? lui dis-je. Sens-tu maman en elle ?

– Oui, c'est cela ! C'est bien cela !

– Mais encore ?

– Difficile à dire : la présence, l'humour, la cocasserie dans l'œil. »

Je parle de « loufoquerie » dans mon livre…

L'hôpital est magnifique. Le jardin déborde

de roses. La ferveur est au rendez-vous. Une sorte d'allégresse. Un enfant va naître...

Ivan est là. Il filme déjà le travelling qui se met en place.

« Nous sommes au plus près de la vérité de maman. Elle est là, n'est-ce pas, aujourd'hui, avec nous ? dis-je à Maï.

– Oui, bien sûr !... »

Toujours attentif, le perchman, Stéphane Morelle, m'apporte les écouteurs pour le combo.

Pour le rôle de la femme qui accouche, Pascale a choisi une femme enceinte roumaine dont ce n'est pas le premier enfant. Je la vois assise, plus loin, tranquille. Je vais vers elle. Je lui explique le livre, le film, ma mère, sa « présence » aujourd'hui, et surtout que cette scène aurait tout à fait pu avoir lieu. Elle aussi, la future accouchée, pense que les morts savent tout...

Répétitions. La femme roumaine appuyée à son mari. Son malaise. Le mari qui cherche du secours et Marthe, assise sur son banc, qui comprend tout soudain, aide la femme à s'allonger, l'ausculte... Et tout qui se précipite. Le bébé qui arrive !

Beaucoup de plans en prévision.

Ivan filme pour le making of le bébé factice qu'on maquille selon les indications de Maï : « Un peu plus de bleu ? Non, c'est bien comme cela ! Il faut garder cette pellicule, ce gel blanc, ce vernis qui enveloppe le bébé. Il est si vraisemblable ! »

La directrice de l'hôpital, responsable du service de bioéthique, vient à ma rencontre, avenante, profonde. Nous parlons de la fin de vie. Je m'engage à revenir ici au moment de la sortie du film.

Silence ! Moteur demandé ! Ça tourne ! Annonce ! Action !

Des plans, de plus en plus serrés, de l'accouchement lui-même.

« Regardez-moi ! Faites-moi confiance ! C'est mon métier ! Je le vois ! Je le vois ! Il arrive ! Je le vois ! » crie Marthe à la future mère.

Pour Marthe qui, aidée de Maï, accomplit tous les gestes, c'est intense et, me confiera-t-elle, un sacré défi.

« Ça y est ! Il arrive le petit bonhomme ! »

Marthe retire ses bagues. « Soufflez ! Soufflez ! »...

Le soleil se cache. Il faut l'attendre.

Quelqu'un dit : « Il va sortir ! » Quelqu'un renchérit : « C'est le cas de le dire ! »

Rires.

Temps suspendu. À l'évidence, le tournage de cette naissance bouleverse un peu tout le monde ! Une situation particulière qui renvoie chacun à quelque chose de si intime, si mystérieux…

Maï donne des instructions à Marthe sur la manière de sortir le nouveau-né, qu'on remaquille encore une fois. Et sur celle de le tenir ensuite pour qu'il ne glisse pas des mains, car il est lourd. Les gestes sont précis. La main derrière la tête. Le corps maintenu par le coude.

Enfin, le soleil revient…

Silence ! Moteur demandé ! Ça tourne ! Annonce ! Action !

« Ah ! Le voilà ! Le voilà ! Il est beau ! Tu es beau ! Tu sais ! Je suis contente de t'avoir mis au monde, tu sais !

– C'est dans le scénario, ça ? demande Pascale.

– Non ! » répond Laurence.

Non. Non. Ce n'est pas dans le scénario mais Marthe se lâche. C'est son dernier jour de tournage ! On lui doit bien ce contentement intempestif !

Coupez !

Un bouquet. Une ovation. Des baisers. Marthe est fêtée.

Je suis un pas derrière. J'assiste à toutes ces embrassades. Sandrine, venue spécialement avant ses propres scènes, serre Marthe dans ses bras.

Deux actrices ? Une mère et une fille ?

Je sais ce qu'elles éprouvent. Elles me l'ont dit plusieurs fois.

J'ai soudain scrupule à les déranger. Ce tournage leur appartient à tous, bien plus qu'à moi. Je le mesure. Ce travail commun, en prolongement du mien, c'est *leur* film. Je me sens devenir minuscule, comme une petite lumière qui s'éloigne. Jusqu'à s'éteindre ? En tout cas, je n'ose m'approcher. Marthe m'aperçoit soudain : « C'est elle, la responsable ! » lance-t-elle, joyeusement.

Marthe a fini. Elle n'est plus à l'image, mais elle « prête » ses mains pour les plans serrés sur la sortie du nouveau-né et le visage de l'accouchée. Maï est tout près d'elle, la conseille

157

de nouveau pour que la gestuelle soit parfaite. Marthe s'attendrit de plus en plus. Moi aussi, je m'attendris, les yeux fixés sur les vieilles mains qui saisissent le nouveau-né. Les vieilles mains... Ce pourrait être ma mère, à cet instant précis, qui sort l'enfant. Peut-être Maï se fait-elle la même réflexion.

Dixième prise. *Coupez !*

La vraie sage-femme vient féliciter « la fausse » : « C'est bien ! » conclut-elle.

Je quitte le tournage en lévitation. Maï reste. Elle ne veut rien manquer de la fin de cette journée.

Je retrouve Uli au théâtre Montfort, où nous assistons à un spectacle de cirque poétique : *Le Vide*, inspiré par le mythe de Sisyphe. À mes côtés, par un hasard qui n'en est pas forcément un, je retrouve la directrice du théâtre suisse qui avait accueilli sur scène *La Dernière Leçon*, il y a trois ans.

C'est Marthe qui me réveillera, le lendemain matin : « Allô ! C'est Marthe ! »

Étrange impression d'entendre la voix de ma

mère. Même tonalité lorsqu'elle disait « Allô ! C'est maman ! ».

Marthe veut que je remercie Maï.

J'en profite pour lui dire :

« C'est étonnant pour vous, Marthe, d'avoir fini le film sur cette scène d'accouchement, n'est-ce pas ? Je trouve cela très beau symboliquement ! »

Elle est d'accord. Tout à fait : « Il faut voir maintenant ce que tout cela va devenir », me répond-elle.

Elle a raison. Qu'est-ce que tout cela va devenir ?

★
★   ★

Mardi 7 octobre.

Pour moi, cette fois, c'est le « dernier jour de tournage ». Des sentiments mélangés, dont un pincement au cœur à voir s'arrêter ces retrouvailles avec un univers dont je suis, encore une fois, un peu nostalgique. Et puis quelque chose d'autre : le sentiment que les dés sont jetés. Le film est dans la boîte. Je n'arrêterai pas son inexorable progression à partir de cette matière brute que j'ai pu toucher du doigt.

Je vais donc le voir et l'entendre une dernière fois, le clap avec, écrit dessus, « La Dernière Leçon », et la vivre, une dernière fois aussi, l'impression d'irréalité que cela me cause !

Et puis, comme s'il voulait me signifier qu'un autre moment est venu pour cette aventure, l'automne est là, précocement froid et pluvieux.

J'ai proposé à Uli de m'accompagner, même si les conditions matérielles ne sont pas idéales, pour assister à la scène dite du « Restaurant » où il pourra rencontrer quelques-uns des acteurs et membres de l'équipe.

Le régisseur général, Arnaud Foeller, est le premier que nous croisons, sur le trottoir.

« Il est rare, me confie-t-il, qu'un scénario m'émeuve à ce point. Je pense qu'il en sera de même pour les spectateurs car ce sujet touche tout le monde. Chacun est renvoyé à soi-même. »

Derrière le combo, je retrouve le père de Pascale : il se demande si vouloir en finir avec la vie, comme l'a fait ma mère, n'est pas l'apanage d'un certain milieu intellectuel.

« Non, lui dis-je. Je ne le crois pas. Toutes les classes sociales sont concernées. C'est tout simplement une question d'humanité ! »

Dernier jour aidant, j'ai mis le fameux pendentif que ma mère m'a transmis le jour de mes cinquante ans, pour le montrer à Sandrine, comme promis. Elle le caresse du regard.

Nous saluons Pascale, heureuse de la présence d'Uli.

La scène où Lou, la plus petite des filles de Pierre, joue à faire la morte pour provoquer sa sœur est terminée. Celle qui se prépare est la scène d'inauguration du nouveau restaurant de Clovis, le mari de Diane.

Je présente Uli à Gilles Cohen qui joue le rôle de Clovis dans le film, son « alter ego » en quelque sorte.

« Vous vous identifiez à Diane ou à Pierre ? demande Uli.

– Aux deux. Je comprends les deux. Encore que planifier ainsi sa mort, c'est rude ! » s'exclame-t-il.

Une fois de plus, c'est systématique, les conversations avec les uns et les autres font des allers et retours entre fiction et réalité, entre les personnes et les personnages. Impossible d'échapper à cette confusion permanente que le sujet du film et ma présence, par surcroît, entretiennent.

Cette « confusion » gagnera-t-elle de la même manière les spectateurs ? C'est l'enjeu, pour moi, de cette passation.

Mais plus tard, quand se préparera la séquence où Diane et Pierre s'affrontent, pour la énième fois, par textos interposés, de nouveau je dois faire un effort pour les suivre et supporter une violence que je n'ai pas connue. Je me mets à craindre, chez les spectateurs futurs, tous les « Pierre » potentiels. Tous les adversaires possibles à la cause de ma mère.

Heureusement, l'affrontement direct entre le frère et la sœur a été tourné hier. Sans moi. Je préfère cela.

Sur le plateau, la fatigue se sent, mais chaque acteur se donnera, jusqu'au dernier plan, avec ferveur.

Entre les prises, je me promène dans le décor. J'en hume l'odeur particulière de lampes en surchauffe et d'énergie collective. J'enjambe des câbles, me faufile parmi les techniciens qui s'affairent, les acteurs qui plaisantent, les figurants qui patientent, et reviens vers le combo d'où Laurence veille à tout, son gros cahier sur les genoux.

Parfois, nos regards se croisent, à Pascale et à moi. Signes de connivence. Oui, on arrive à la fin du tournage !

Elle a bien mené sa barque, avec maîtrise et attention, sur ce tournage pas comme les autres. Elle aussi pense sans doute à ce qu'elle a mis dans la « boîte », jour après jour, scène après scène.

En ce qui la concerne, cependant, Pascale est loin d'avoir fini, mais l'essentiel est là : le matériau humain d'une histoire qui a repris corps, s'est incarnée une deuxième fois, transfigurée. Ne pas regarder en arrière. Aller de l'avant.

Bientôt Gilles, puis Emmanuelle, et enfin Antoine Duléry tournent leur dernier plan. À chaque fois on les applaudit. C'est le rituel.

Nous sommes conviés, Uli et moi, à partager sous la tente le dîner de l'équipe au grand complet. Un dîner délicieux, comme à l'habitude, dans cette cantine extrêmement sympathique.

Bouquets, cadeaux, applaudissements. L'ambiance est joyeuse malgré la pluie, le froid. Impossible que je ne le sois pas également.

Mon bouquet, j'aimerais l'offrir à ma mère. C'est à elle qu'il revient, mais acte manqué : je l'oublierai après le dîner sur le plateau, où Laurent Avoyne, qui casse déjà le décor, le trouvera.

Un vent glacé souffle dans le restaurant fictif où personne n'a vraiment mangé.

Rien n'est plus mélancolique qu'un décor de film qui n'attend plus personne pour lui donner vie.

★
★   ★

Heureuse perspective que celle d'une fête de fin de tournage ! Une manière pour moi de ne pas couper le cordon qui me relie encore à l'équipe. Le tournage aurait duré plus longtemps que je ne m'en serais pas plainte ! Au plaisir qu'il me procurait s'ajoute déjà l'appréhension de l'objet final.

Désormais, une nouvelle étape se prépare. Car seule la matière brute du film est dans la boîte. Elle attend des transformations pour lesquelles, probablement, ma présence sera plus problématique, je ne l'ignore pas.

En attendant, l'heure est au plaisir des retrouvailles, dans un bar, rue de l'Étoile, plaisir inséparable du sentiment, pour tous, d'avoir bien travaillé. D'avoir mérité.

Je demeure au rez-de-chaussée un long moment, ce qui me permet de saluer les arrivants, en particulier ceux avec lesquels je n'ai pas toujours eu l'occasion de discuter sur le tournage où le temps pressait.

Invariablement – c'est ainsi depuis le début –, c'est le sujet même du film qui nourrit nos conversations. On se raconte. On convie les chers disparus, ceux dont la mort hante la mémoire. Encore une fois, notre histoire, à ma mère et à moi, se répercute, fait écho. La « leçon » décortiquée, plan après plan, sur le plateau a remué chacun, au plus intime, décidément. De l'avoir vue mise en scène, incarnée, l'a rendue proche, vivante, plus susceptible d'être partagée. Ce soir, c'est comme si on se sentait autorisé à l'évoquer enfin, la mort des siens, avec ce qu'elle draine de peur, de chagrin. Des regrets parfois qui font venir les larmes.

Une équipe de tournage n'est-elle pas à la première place pour pressentir ce que les spectateurs futurs éprouveront dans la salle obscure ? N'ont-ils pas été, acteurs et techniciens, les témoins privilégiés de la « mise en scène » et des sentiments divers, contradictoires que suscite un tel sujet ?

Ce que j'entends des uns et des autres me conforte un peu plus sur l'actualité brûlante du propos. Sur son impact.

Je retrouve Laurent de Bartillat, le coscénariste. Je ne l'ai pas revu depuis la rencontre à la production, où je l'avais trouvé plutôt sur la défensive. Il me dit avoir tenu compte de certaines de mes remarques d'alors. Tout ce qu'il me raconte de son travail est passionnant. Il veut bien que nous en reparlions, plus calmement.

Au sous-sol, des groupes se forment gaiement.

Sandrine est avec sa fille aînée. Je ne peux m'empêcher d'admirer le « couple » mère-fille qu'elles forment. Tous les couples mère-fille me touchent. Une fille, d'ailleurs, empressée de bavarder avec moi, de me raconter combien le film les a remuées, sa mère et elle. Combien elles se sont projetées en lui.

Le livre, c'est « maintenant qu'elle veut le lire », me dit-elle. Elle se sent « prête »…

Je souris à cette perspective, pensant à ces innombrables mères-filles croisées depuis douze ans, ici et là, dont je voyais bien qu'elles étaient « prêtes », elles aussi, à entamer cette conversation sur la mort, à envisager un voyage commun au pays de la défusion, de la séparation ultime, en parcourant, ensemble, *La Dernière Leçon*, paisiblement, dans la lumière des pas tracés. Ceux de ma mère…

Ce soir, on se lâche. Les dernières semaines, la fatigue aidant, ont été un peu plus rudes, visiblement moins porteuses qu'en ces jours de juillet où, dans l'appartement de Marthe, les scènes les plus intenses ont été tournées.

Marthe, toute simple, en pull, va et vient, sourire aux lèvres.

Ma mère s'habillait ainsi, sans chichis, pour être aussi libre que possible de ses gestes, de sa présence au milieu des autres.

On réclame à Victoria un chant africain.

L'une de ses berceuses préférées. Antoine, enjoué, est arrivé. Je l'aperçois de loin.

L'ambiance est au beau fixe. Pascale, maîtresse d'œuvre, y est pour quelque chose. N'est-ce pas elle qui, d'emblée, a donné le ton ? Je m'approche d'elle. Nous levons nos verres à cet ouvrage.

Elle est soulagée. Elle peut l'être.

Nous refaisons ensemble le récit de cette longue marche, pour ne pas dire de cette « épreuve ». Pascale l'a vaillamment passée. Je lui en sais gré. Quelqu'un lui offre le clap, c'est le rituel.

« Et maintenant ? » dirait la chanson du film...

Le montage. Quid de cette prochaine étape ?

Pascale va me surprendre par sa fermeté, sa mise en garde. Elle ne souhaite pas que je vienne en salle de montage.

À aucun moment ? À aucun moment.

En parler, à l'occasion, oui. Y assister, non !

Petit pincement au cœur.

L'interdit de la salle de montage me laisse, un instant, sans voix, *même* si je le comprends. Je devrais dire *surtout* parce que je le comprends.

Je sais, pour avoir participé au montage de deux documentaires, dont j'étais coauteur, ce que « montage » veut dire. Il ne s'agit pas d'un simple élagage technique. « Monter » signifie « écrire ». C'est du montage, du choix, de l'ordre, du rythme des plans tournés, que l'écriture du film dépend. De lui découle son style. Son sens, en un mot.

Les *rushes* successifs, comme les mots pour moi, sont une matière à façonner, à travailler. J'en connais la malléabilité.

L'image, le son sont modifiables à l'infini jusqu'au mixage.

Et ces modifications pesées, soupesées sont l'apanage du metteur en scène assisté de son monteur – ou comme ici, de sa monteuse, Sylvie Gadmer. Un travail long, exigeant, obsédant parce que susceptible de changer la signification même du film, et aussi d'en altérer le message.

Pascale et moi sommes en confiance depuis le début. Je n'ai aucun doute sur ce qu'elle veut exprimer à travers son film, il ne s'agissait pas pour moi ici d'espionner. Seul l'intérêt intellectuel pour ce travail d'orfèvre explique ma déception. Il n'était pas dans mes intentions, de plus, de m'installer à la table de montage, du matin au soir, simplement d'y passer une ou deux fois pour sentir les choses. Mais je conçois que la présence de l'auteur soit, cette fois, dérangeante. Aurais-je aimé, par-dessus mon épaule, un regard étranger lorsque j'écrivais *La Dernière Leçon* ? Étranger ? Bien sûr que non ! Encore une fois, mon regard ne serait pas suffisamment « étranger » pour Pascale et sa monteuse ! C'est fatalement ma proximité qui fait problème.

Il n'empêche, la décision de m'exclure, à ce moment-là du film, m'est presque douloureuse, pas assez cependant pour me décourager de profiter, jusqu'à la fin, de cette joyeuse soirée, puisque je ferai la fermeture avec Sandrine et sa fille, à 3 heures du matin !

En rentrant chez moi, je me dis que le clap-souvenir, avec « La Dernière Leçon » écrit dessus, j'en voudrais bien un, moi aussi. Pour le dédier dans mon âme à qui de droit.

★

★　　★

« Lendemain de fête. » On ne s'en méfie jamais assez... Réveil passablement angoissé. L'aspect inéluctable de ce qui est maintenant « dans la boîte » me terrasse. Et puis, de nouveau, mon exclusion.

Le processus de fabrication qui s'annonce, je me le redis, se fera sans moi. Tout se fera sans moi ! Montages image et son, mixage, musique, etc. Plus rien ne me concerne. Cette absence forcée jusqu'à la projection finale me semble, soudain, d'une particulière violence.

J'hésite à appeler Pascale pour lui confier mon désarroi. J'y renonce. Pour la ménager ? Par peur du ridicule ? Un peu les deux. Qui sait ? Peut-être éprouve-t-elle un vertige tout aussi grand à l'idée que ce qui est dans le ventre de la boîte l'est « inéluctablement ».

Il y a encore de la maïeutique dans tout cela, bien sûr, dont seule une sage-femme saurait trouver les mots de réconfort...

Allons, allons ! Se reprendre ! Se rappeler le sens du combat qui se joue avec ce film, sa valeur philosophique, si précieuse à ma mère.

Je repense aux livres écrits. À ce moment

imparable où le texte va m'échapper pour appartenir au lecteur. N'est-ce pas du même ordre ?

Le spectateur n'est pas encore convié, mais il le sera. Qu'en sera-t-il alors de cette nouvelle dépossession ? Je l'ignore encore.

D'ici là, résister aux démons.

★

★   ★

Au courrier, une lettre de notre chère Maï. Une lettre promise sur ses impressions de tournage, d'où elle est rentrée émerveillée. N'était-elle pas devenue, à sa façon, partie prenante de cette aventure, prolongeant son dialogue de sage-femme avec ma mère, s'identifiant à elle, par film interposé ?

Maï, à son tour, ce jour-là, a trouvé *sa* place dans *La Dernière Leçon*. Une manière de sécher ses dernières larmes de deuil pour ma mère ? Je le pense.

Dernières larmes embellies par la grâce de ces heures de tournage et l'harmonie exceptionnelle qui se dégageait du plateau car « il y avait, m'écrit-elle, une douceur inouïe, alors que tout le monde travaillait, s'agitait... une sérénité due au respect de chacun, ton certainement donné par la réalisatrice qui m'a stupéfiée par sa simplicité et sa patience... Une tranquillité, oui ».

Elle termine sa lettre en remerciant ma mère : « Mon amie, tout là-haut, derrière le rideau. »

« Derrière le rideau »... l'expression me va droit à l'âme.

N'est-ce pas « en soulevant un pan du voile » qu'elle nous avait promis de nous faire signe, à nous, ses enfants, quand elle serait partie ?

Oui. Le voile s'est soulevé, il me semble, le jour dit de l'accouchement, sur le tournage.

Chacun a dû en sentir le frémissement.

Il m'arrive de me servir des rêves pour faire un sort à l'angoisse. Je ne connais pas de meilleur metteur en scène que mon inconscient. Il a parfois cette générosité de m'offrir le spectacle de mes déchirements pour que, en spectatrice attentive, j'en fasse une sorte d'analyse – autant qu'il m'est possible, évidemment – et les remette ainsi à leur juste place.

Je l'ai donc eu, mon rêve de dépossession. Il était temps.

C'est le dernier jour de tournage. Je me rends sur les lieux. Mais impossible de rejoindre le plateau ! Tout se passe au loin. Sans moi. Mon frère aîné et sa femme me rejoignent. Mais, tout comme moi, se voient empêchés d'approcher. À chaque tentative, nous sommes refoulés. Toute l'équipe, complice, me snobe...

Ça va mieux ? Oui, ça va mieux.

Il le faut, car ce soir je dois assister à la projection d'un documentaire suivie d'un débat avec la salle, à l'Espace Saint-Michel.

Un débat de plus sur la fin de vie. Ils se multiplient.

Dans ce documentaire, la réalisatrice filme sa meilleure amie en phase terminale d'un cancer. Cette dernière ne parviendra pas, malgré son désir, à choisir « le moment et la manière » (c'est le titre du film) de partir. Celle qui ne voulait surtout pas d'une mort qui dure sera spoliée de sa décision d'en finir selon son souhait. Un film sur la dépossession, là encore, mais autrement plus dramatique, qui pointe du doigt l'aspect liberticide de la loi Leonetti : ce sont les médecins qui décident encore à la place du malade puisque ce sont eux qui, seuls, jugent « raisonnable » ou non de s'obstiner à garder en vie le patient. On ne trouvera de solution qu'en démédicalisant le plus possible la mort...

Ce soir-là, je m'autorise à rebondir sur l'adaptation de *La Dernière Leçon*, je la commente longuement. Cette fois, c'est ma conscience qui m'aide à vaincre mes démons.

★

★   ★

À la mi-novembre, pour les besoins du making of, Antoine organise, à la maison, une rencontre.

Marthe, Sandrine et Pascale me rejoignent pour un entretien croisé. Une discussion à bâtons rompus, à l'heure du goûter, que filmera Ivan. Antoine nous questionne sur la manière dont nous avons respectivement vécu le tournage.

Nous avons bonheur à nous retrouver, après un mois et demi de séparation.

Marthe et Sandrine sont déjà parties ailleurs, vers d'autres activités artistiques, mais elles n'ont pas oublié les sentiments par lesquels le film les a fait passer. Ils sont gravés en elles. Cette empreinte doit beaucoup au propos même de l'histoire, mais aussi, confirment-elles de nouveau, à ma présence sur le tournage à certains moments intenses du scénario.

Quant à Pascale, elle insiste surtout sur la force de son désir pour le sujet si puissant de *La Dernière Leçon* et sur sa connivence avec moi, qui l'ai vécue.

De mon côté, j'entre dans le détail de mon écriture qui suscite la curiosité par son aspect peu commun.

Notre quatuor a bien fonctionné depuis nos premiers pas ensemble au Wepler, et, visiblement, c'est le cas encore aujourd'hui.

Marthe et Sandrine parties, j'aborde avec Pascale la façon, un peu brutale, dont j'ai vécu l'interdit concernant le montage. Pascale s'explique. Elle souligne la nécessité de la solitude à ce moment-là de la facture d'un film et je comprends ses raisons, qui sont aussi les miennes avec l'écriture. Avec tact, et comme pour se dédouaner, elle me met dans la confidence d'une hésitation, qu'elle éprouve encore, à propos du début du film. Par quoi commencer : la scène de la voiture, où Marthe se sent hors jeu, ou l'Annonce ?

Avant de nous quitter, elle revient longuement sur le travail psychologique qu'elle a dû accomplir, avec l'équipe, avant le tournage. Comme elle a parlé et reparlé de la mort avec certains de ses techniciens ou partenaires, très en amont. Son rôle de *passeuse* me renvoie aussi au mien. Pour elle comme pour moi, c'est bien la mort, la mort apprivoisée, le personnage principal de toute cette aventure où l'écran prolonge l'écrit.

Le lendemain, je saurai pourquoi Pascale s'est à ce point, la veille, attardée sur la question de la mort.

Laurent, le chef déco, m'appelle. Il doit me rapporter les objets personnels que je lui ai confiés pour le tournage. Laurent est très lié à Pascale. Avec lui, entre deux prises, j'ai beaucoup échangé (sur la mort, tout particulièrement) dans une relation vivante et joyeuse.

Nous prenons rendez-vous. Sa voix change :

« Et puis, j'ai à te parler... Te parler du hasard... » ajoute-t-il. Et j'apprends que Tom, le fils de sa compagne, devenu aussi le sien, a été retrouvé pendu, dans sa chambre, le lendemain de la fête de fin de tournage. Il avait 27 ans ! Choc.

Le même jour, l'une de mes lectrices, amie de ma mère, Renée J., que j'ai déjà évoquée, m'envoie un SMS avant de rentrer au bloc pour une énième opération dont elle espère ne pas revenir...

Et pourquoi la mort cesserait-elle sa macabre besogne, tandis que nous tentons, tant bien que mal, les yeux dans les yeux, de dialoguer avec elle ?

Dans deux jours seront remises au président de la République les propositions de loi préparées par Alain Claeys et Jean Leonetti. Je connais leur contenu. D'une part, la mise en place d'un droit à une « sédation profonde et continue » pour les malades en phase terminale, un « droit de dormir avant de mourir pour, dit-on, ne pas souffrir », d'autre part, l'instauration de directives anticipées contraignantes afin qu'au devoir des médecins s'ajoute désormais le droit des malades.

Je fais évidemment partie de ceux qui considèrent cette loi comme timorée, contrairement à d'autres qui y voient, eux, une dérive euthanasique.

C'est, je le répète, l'aide active à mourir et notamment le suicide assisté qui m'occupent, personnellement.

Je suis retenue en province. À Paris, ce 10 décembre, l'ADMD s'apprête à un rassemblement de protestation, où je ne serai pas, hélas, de même qu'il me sera difficile de m'exprimer publiquement ce jour-là, à l'invitation des médias. Tout comme la députée écologiste Véronique Massonneau, dont les propositions légalisant l'euthanasie et le suicide assisté ont été débattues et rejetées en commission, je ne vois guère d'avancée notable dans cette nouvelle mouture de la loi et j'aurais voulu joindre ma voix à tous ceux qui pensent de même.

L'espoir soulevé par la promesse du candidat Hollande de permettre enfin au citoyen d'être davantage acteur de sa fin de vie est si loin. Si lointaine aussi cette époque où Manuel Valls, l'actuel Premier ministre, montait, avec nous, à l'assaut du Sénat pour revendiquer l'aide active à mourir !

Arte lance une nouvelle émission sur des sujets de société où, sous la forme astucieuse d'un tribunal, des témoins et avocats de toute l'Europe pourront s'exprimer contradictoirement.

Le 19 décembre, le sujet numéro un portera sur la fin de vie.

J'accepte d'y témoigner. Là, devant la caméra, et non plus derrière, je le sens se soulever, frémir, le pan de voile.

J'invite ma mère à la barre.

Laurent est en face de moi. Il a déposé sur la table, entre autres menus objets, le brasero africain du Mali et mon ours marron, qui semble avoir apprécié d'avoir joué les stars.

Dans le regard de Laurent, la violence et l'injustice de la mort sont là, mais aussi – je le décèle aussitôt – une lumière nouvelle chez ceux qui croient en la vie dans l'immensité du chagrin.

« Tu as laissé ton bouquet de fleurs sur le plateau, le dernier jour du tournage, tu sais ?

- J'espère que tu l'as gardé.

- Bien sûr ! »

Laurent et moi sourions. Ce bouquet, aujourd'hui, c'est à Tom que j'aimerais l'offrir, à Tom l'enfant disparu.

Et Laurent raconte...

Le destin d'un jeune homme brillant, créatif, habité par la musique, l'écriture, l'envie de dire et de faire, qu'une maladie – la narcolepsie – persécute depuis des années. La violence d'une médication aux effets secondaires devenus à ce point intolérables, destructeurs, qu'il va leur préférer la mort.

Un choix mûrement pensé, « réfléchi », insiste Laurent.

Le suicide des jeunes, je l'ai approché, j'en ai fait autrefois, à ma façon, l'objet d'une lutte obstinée. Il est insoutenable.

Cependant, ce que vient me dire ce père, aujourd'hui, c'est que le jeune homme a laissé une lettre dont les termes ne sont pas sans rappeler les arguments invoqués par ma mère pour précipiter son départ. Pour lui aussi, c'est le goût extrême de la vie, une vie digne d'être vécue, qui paraît avoir dicté son geste.

N'est-ce pas à cette conclusion que j'étais parvenue moi-même en tentant de comprendre les raisons qui peuvent conduire à ce choix si paradoxal : « Oui, il faut parfois l'aimer très fort, la vie, pour lui préférer la mort »...

Une vérité qui, depuis douze ans, ne m'a plus quittée et qu'il nous appartient, à tous, de méditer, au nom de la liberté de conscience, de la liberté tout court.

À peine achevé le tournage de *La Dernière Leçon*, Laurent, remué par cette aventure filmique inédite, est donc venu partager avec moi ce qu'il a nommé « le hasard ». Le hasard qui fait signe...

Nous devions nous revoir pour boire ensemble une bouteille apportée par lui. C'est ensemble que nous buvons l'amère boisson du destin.

★

★ ★

Janvier 2015, un mois où il sera beaucoup question, encore, de la fin de vie, en écho à la future loi Leonetti-Claeys. Mollement, dans un premier temps, tant la recherche d'un consensus en haut lieu – où l'on a été échaudé par le tumulte du mariage pour tous – bride la discussion, puis, plus ardemment, grâce à quelques personnalités, comme Véronique Massonneau, encore une fois. D'origine belge, celle-ci apporte un éclairage utile en témoignant de la pratique de l'euthanasie et du suicide assisté dans son pays. Un exemple, pour elle, concluant.

Cette spécialiste de l'éthique ne craint pas l'affrontement, nécessaire selon elle, comme dans tout grand débat sur une problématique de société. Pour ma part, cet affrontement, qui pourrait bien survenir, n'est pas ce que je préfère, même si je m'y prépare. J'admets, comprends, parfois, ce qui résiste, mais ce qu'on veut ignorer, ici, dans les instances dirigeantes, c'est que le consensus, précisément, dans notre pays, est bien la volonté des citoyens à choisir leur mort. Dans une très grande majorité. Ils savent pertinemment, ces citoyens, ce qu'ils veulent, contrairement à ce qu'on essaie de faire croire. Ce sont les législateurs qui sont à la traîne.

Je pense à « notre » film. À Marthe. Au sens de son personnage. Marthe, par sa constance, sa fière détermination, sera-t-elle, pour les spectateurs, le miroir de ce désir consensuel ? Infléchira-t-elle les politiques par son humanité, la puissance de sa présence à l'image ? C'est tout l'espoir que je mets en elle, dont la portée du rôle va bien au-delà de la réussite artistique et du talent.

Elle me l'a confié au Wepler, ce rôle est plus qu'un rôle pour elle : une conviction. Même si Marthe joue, elle ne joue pas. Telle une sorte de Marianne pour la République, Marthe allégorise.

★

★   ★

Enfin, nous nous retrouvons. Pascale et moi, ce 9 février 2015. « Enfin », parce que ces mois de montage qui nous ont séparées n'ont pas amoindri le désir de se parler. L'impatience de raconter, elle, son travail, moi le mien, est grande. Nous avons avancé, l'une et l'autre, sur notre « ouvrage commun », chacune à son rythme, mais avec la même intensité.

Pascale est pleine de ferveur.

« On pouvait faire des films tellement différents ! » lance-t-elle d'emblée.

Oui. Cela, je ne le savais que trop...

Le montage, m'explique-t-elle, a littéralement rejeté – au sens organique – des passages entiers du scénario, au point de rendre celui-ci parfois *has been*. « Il a fallu le quitter, en faire le deuil, tu comprends ? Trouver un autre équilibre. Le texte quelquefois est devenu caduc à cause de l'expressivité des artistes... Nous, on était encore dans l'encre... l'image l'a écrasée ! »

La force de l'image ! Je l'ai observée, déjà, au tournage. Comment une seule image peut soudain remplacer des dizaines de dialogues. J'apprends, avec étonnement, que certains réalisateurs, conscients de ce phénomène, écrivent deux versions du scénario : l'un pour les producteurs, les distributeurs, etc., l'autre pour les interprètes.

« Le geste de la mère n'a pas besoin d'explication de texte. Il doit se comprendre à l'image, "dans une autre intimité" », renchérit Pascale.

Puis elle me raconte qu'elle a évolué, qu'elle s'est davantage identifiée à Diane qu'à Marthe en montant le film. « La mère n'est plus tout à fait une héroïne sans reproche, puisqu'elle fait quand même souffrir ses enfants. »

J'espère pas trop ! Pas trop « sans reproche » ! me dis-je, craignant peut-être que ma mère et sa leçon ne perdent de leur superbe...

Pascale semble satisfaite, quoi qu'il en soit, par le travail mené avec sa monteuse. Elle me demande si j'accepte l'idée de finir le film sur une photo de ma mère, une image joyeuse, sereine. Une image de vie, avec ce texte d'accompagnement : « Cette histoire, transposée dans une famille fictive, est inspirée de la vie de Mireille J. qui nous a quittés le 5 décembre 2002. Elle luttait pour le droit de mourir dans la dignité. »

Une demande d'importance, symboliquement.

Faire se rejoindre la réalité et la fiction ?

Cette proposition, pas inintéressante a priori, je ne la sens concrétisable que si j'adhère au film sans réticence. Une décision à soumettre aussi à mes frères et sœur, bien évidemment. Il n'empêche, la demande me trouble par le bond vertigineux qu'elle suppose de moi. Cela exige réflexion, je le sens.

Nous revenons ensuite sur la dernière phrase du film en voix off et sur mon désir de l'écrire moi-même. Un désir suspendu, là encore, à mon adhésion pleine et entière à l'objet fini ? Sans nul doute.

L'écrire – s'il y a lieu – dans un langage oral, en tout cas, très différent du livre, forcément.

Pour les dernières images, Pascale dit avoir choisi, pour l'instant, de s'arrêter au geste de Marthe qui prépare ses cachets dans la cuisine et non plus sur la chambre au lendemain de la mort. Nécessité d'un *acte* final. Un acte militant. « Comme une montagne franchie ! »

La discussion va bon train et mon impatience, quelque peu mêlée d'anxiété, grandit.

À mon tour, je parle de mon livre : de cette transposition, cette « suite », que j'analyse et, du même coup, du besoin de revenir sur place, à un moment donné, sur la fabrication. Voir de près ce qui s'y passe. Y être encore un peu associée.

Nous nous mettons d'accord, Pascale et moi, sur l'idée de ma venue lors du mixage de la musique, composée par Éric Neveux. Celle-ci m'importe, encore une fois.

Éric Neveux et Pascale envisagent une musique orchestrale faite de deux thèmes principaux : une sorte de marche pour Marthe, style *road movie*, déterminée, allant de l'avant, et une musique plus légère, un peu mélancolique pour Diane. Deux thèmes qui finiront par se confondre, m'explique Pascale, quand la fille accélérera son rythme pour être à l'unisson de sa mère.

Une musique plus enfantine est prévue pour Pierre, le frère. Celui qui n'a pas grandi ?

Quant à la berceuse africaine de Victoria, elle reviendra plusieurs fois, jusqu'au générique de fin. Une berceuse qui raconte : « Les morts ne sont pas morts, ils sont avec nous. »

La musique n'aura pas dans le film un rôle surdéterminant. C'était un principe de départ pour Pascale.

Bref. Le film paraît s'être resserré autour du dilemme que le départ choisi de la mère provoque, en privilégiant l'image plutôt que les discours. Un retour à l'essentiel. Il le fallait, selon Pascale. Il fallait rendre audible le sens du message. « Faire confiance au sujet et à sa force. Cette simplicité (au meilleur sens du mot), Marthe et Sandrine l'ont permise, par leur présence, leur implication vraie. »

J'écoute Pascale avidement. Et ce que j'entends me va droit au cœur. Il me semble qu'on se rapproche davantage, en fin de compte, de mon livre et de sa sobriété.

Il me semble... Puisque je n'ai rien vu encore de l'objet final !

Quand ? Quand le verrai-je ? Mon imagination s'emballe.

Petit entrefilet trop discret dans *Le Monde* : le Canada vient d'accepter le principe du suicide assisté. Là-bas, les parlementaires ont un an pour revoir leur législation. Et nous ? Il faudra attendre la mi-février pour que le « consensus » voulu par le gouvernement s'effrite : 120 députés PS proposent une centaine d'amendements à la loi Leonetti-Claeys. L'exigence d'une aide médicalisée active mettant fin à la vie dans la dignité revient en force.

On reparle aussi du suicide assisté.

L'espoir de voir enfin véritablement débattue la loi proposée est ravivé, et, avec lui, le réconfort pour tous ceux qui attendent, depuis si longtemps, d'être écoutés. C'est une bonne surprise, certes, mais les effets d'un tel sursaut ne se font pas attendre.

Ainsi, c'est avec désolation qu'un certain dimanche, j'ai vu passer un défilé significatif de protestataires associant, pêle-mêle, l'IVG, le mariage pour tous et l'euthanasie, sur le boulevard Montparnasse. Mais ce qui me choquera le plus, c'est de voir, brandie sur les pancartes, la photo de Vincent Lambert sur son lit de souffrance, affublée de la phrase « Nous sommes Vincent » en référence aux « Nous sommes Charlie » que la République, toutes opinions confondues, avait fièrement arborés dans les rues de Paris, un certain dimanche de janvier 2015, au nom de la liberté d'expression assassinée. De quel droit exhiber la torture d'un être – en trahissant, qui plus est, son message – pour une cause si fondamentalement injurieuse à l'égard du libre arbitre et, il faut bien l'admettre, de la fraternité ?

Certains ont retenu de cette provocation le mauvais goût. J'en retiendrai personnellement l'inhumanité.

Moi qui ne souhaitais pas l'affrontement, vais-je devoir m'y contraindre ?

L'angélisme a ses limites.

★

★   ★

Dans quelques jours, une première copie de travail du film me sera projetée. Marc Missonnier me l'a annoncé, non sans solennité. « J'espère qu'il va vous plaire ! » a-t-il ajouté.

Me « plaire »... le mot est si en deçà de ce que j'attends de cet objet dont j'ai voulu, et en même temps redouté, l'existence.

Je ne tiens plus en place, dévorée d'impatience. Je repense à ma fameuse expression de « trahison consentie ». D'en avoir fait l'analyse n'empêche pas l'appréhension.

J'appelle Philippe Grimbert. Besoin soudain de partager avec lui, car lui aussi l'a vécue, l'aventure d'un livre adapté au cinéma. *Un secret,* l'histoire vraie de ses parents, est aussi devenu un film, qu'il a suivi, je le sais, d'assez près pour garder de cette expérience un souvenir aigu.

Philippe non plus, en tant que spectateur, n'est pas un fervent des films adaptés de romans. Il les craint pour les mêmes raisons que moi. D'un livre, on se fait son propre film, on est son propre réalisateur par la grâce de l'imaginaire, unique, impartageable. Intime en un mot.

Sur beaucoup d'aspects, nous avons, lui et moi, éprouvé des sentiments semblables vis-à-vis de l'adaptation de notre livre, qui tiennent avant tout au fait que l'un et l'autre étions impliqués personnellement. Il s'agissait de *notre* histoire familiale.

Comme moi, Philippe a vécu ce qu'il a appelé « le choc des connus » : comment concilier un casting de comédiens avec la réalité de visages qui nous sont si proches ? Comment vivre cet écart, si fondamental, sans vertige ?

Comme moi, il lui a fallu accepter que le réalisateur, Claude Miller (disparu, hélas, aujourd'hui), déplace socialement sa famille, qu'elle détonne, parfois, par rapport à la vérité des faits et de l'expression. Et s'adapter surtout à la forme dialoguée de la narration. Les changements qu'il a demandés n'ont jamais porté sur le fond, m'explique-t-il, mais plutôt, ainsi que pour moi, sur la forme.

Il n'empêche que Philippe ne les a à aucun moment reconnus, ses parents, à travers les personnages. Jamais retrouvés.

« Et alors ? Qu'as-tu fait de cette dépossession ?

– Elle m'a fait passer un cap, me répond-il. Le roman était déjà une mise à distance, mais le film a été un deuxième pas pour accomplir une forme de deuil. »

Je me demande : l'histoire vécue avec ma mère va-t-elle aussi connaître cette mise à distance ?

C'est étrange, mais je ne le souhaite pas ! Peut-être tout simplement parce que je n'ai pas écrit *La Dernière Leçon* pour *faire le deuil* de ma mère – il était fait, je l'ai dit, lorsqu'elle est partie, grâce, précisément, à sa « leçon » –, mais clairement pour partager avec le plus grand nombre ce « travail » hors du commun qu'est l'apprentissage de la mort.

Sur l'émotion ressentie, Philippe s'est également interrogé.

Il me raconte que la scène où Maximin et Tania, ses parents, s'embrassent pour la première fois, il l'avait lui-même écrite avec une grande retenue, une grande sérénité, mais qu'en la voyant au cinéma, il s'est effondré en pleurs. Pourquoi ?

« L'image parle à l'estomac, me dit-il, avec la lumière, les gros plans, etc. Le cinéma renvoie à l'imaginaire, très fortement, mais, ajoute-t-il, ce ne sont pas des réminiscences qui m'ont fait pleurer. C'est tout simplement parce que c'était émouvant ! »

Je repense aux larmes de Sandrine qui attend l'appel, le dernier appel de sa mère, et à comme j'ai été émue davantage en spectatrice qu'en me remémorant cette scène, pourtant toujours intense dans ma mémoire.

Philippe, lui aussi, a été très présent sur le tournage. Il y a même joué un petit rôle, celui du « passeur ». Tout un symbole ! Il s'est senti en osmose avec l'équipe, qu'il a suivie dans la Creuse, mais c'est de son « duo » avec Claude Miller qu'il garde le plus cher souvenir, car Claude, selon lui, s'est beaucoup identifié à l'histoire. Au point qu'ils sont allés ensemble, en « frères », jusqu'en Israël ! En un mot, Grimbert a laissé faire Miller. Il a lâché prise. Et le film a permis à Claude Miller de renouer avec sa judéité.

À la question de savoir si, le film achevé, Philippe a eu un sentiment de trahison, d'infidélité, la réponse est claire : « Ce film est infidèle à la lettre, mais fidèle à l'esprit. » Philippe ne reprend pas le terme de « trahison ». Il lui préfère celui d'infidélité, moins tragique, plus pardonnable.

La formule me va. Il se pourrait bien qu'à mon tour, j'éprouve ce même sentiment quand je découvrirai le film, la semaine prochaine.

C'est ce qui pourrait m'arriver de mieux.

Voilà ce que je me répète en attendant la projection.

Même si je suis confiante – avec Pascale, n'avons-nous pas, depuis le début de cette aventure, conjuré, autant que faire se peut dans la transparence, tous les risques possibles d'une déconvenue ? Impossible pourtant de ne pas évoquer le pire.

Le pire, je m'en souviens, c'est l'exemple de Marguerite Duras face à l'adaptation de son livre *L'Amant* par J.-J. Annaud. Dès les premiers pas du scénario, Marguerite, que j'ai connue intimement dans son rapport au cinéma, puisqu'elle m'avait confié un rôle dans son film *Baxter, Vera Baxter,* a, paraît-il, bondi de colère. Si la cinéaste qu'elle était aussi s'est trouvée vite en porte-à-faux, c'est surtout parce que dans *L'Amant,* Marguerite était allée jusqu'au bout de sa vérité. Elle y avait tout mis d'elle. Et que découvre-t-elle au travers de l'adaptation ? Un film quasi hollywoodien ! Un objet aux antipodes de sa conception personnelle du cinéma. Tout la révulse : le casting, les dialogues, et par la suite, l'esthétique de J.-J. Annaud qui n'aurait pas tenu compte, se plaint-elle, des notes abondantes qu'elle avait fournies au moment de l'écriture du scénario. « C'est de la merde ! » conclut-elle en voyant le film.

La messe est dite.

La fureur de Marguerite se transforme vite en douleur, qu'elle transcende en écrivant *L'Amant de la Chine du Nord.* Ce texte, hybride, lui permet de repenser le film tel qu'elle aurait souhaité le voir : « C'est un livre. C'est un film », écrit-elle pour le définir. Marguerite réimagine l'histoire, dans son déroulement filmique, en indiquant, ici et là, quelles sortes d'images elle souhaiterait pour la raconter. Un scénario livresque, un livre scénarisé, conçu comme un enchaînement de plans. Avec *L'Amant de la Chine du Nord,* Marguerite se fait son film idéal, son film intérieur, le seul susceptible de ne pas la trahir. Le seul fidèle.

Le cas de Duras est un cas extrême, mais il est parlant. À lui seul, il résume l'impossible hymen de l'écrit et de l'écran, si l'infidélité n'est pas consentie, si l'auteur du livre n'est pas en confiance avec le metteur en scène.

Rien à voir, donc, avec la transparence et la complicité que j'ai voulues, dès le départ, avec Pascale ! Inutile de se faire peur...

Ce mardi 10 mars, je l'inscris, d'emblée, comme une date mémorable. C'est aujourd'hui que la proposition de loi sur la fin de vie va être débattue à l'Assemblée. Par des députés, certes, mais aussi par des hommes et des femmes parfois marqués par la mort d'un proche, ce qui vient forcément troubler les certitudes et les convictions. Pour moi, rien ne s'oppose à ce que l'émotion s'invite dans l'hémicycle sur un sujet comme celui-ci ! Elle peut même être bonne conseillère. C'est à des mortels qu'on demande de se prononcer sur la mort, ne l'oublions pas ! Mais, pour parler de la mort, il faut l'avoir approchée, vécue, d'âme à âme, ce que tous n'ont pas fait.

J'appelle de mes vœux « le suicide assisté » parce que le vouloir partir, j'en ai fait l'expérience. Je l'ai vécu. Intimement. Je l'ai éprouvé, puis étudié, appris enfin, grâce à ma mère. Son exemple me porte, je le dis encore.

Malgré les amendements d'une partie importante des députés socialistes et des verts, nous ne nous faisons guère d'illusion, alors qu'avec une délégation importante de l'ADMD et de parlementaires, nous manifestons près de l'Assemblée.

Cette nouvelle loi Claeys-Leonetti, timorée, a toutes les chances de passer au nom du « consensus », nous dit-on, même si elle exclut tout simplement, comme je l'ai souligné, la grande majorité de nos concitoyens qui se voient dépossédés, encore une fois, de leur libre arbitre au profit des médecins. Cette loi leur est destinée, à eux. À eux seuls. Les citoyens n'ont pas la décision finale. Ils ne sont pas au cœur du dispositif, le médecin demeure tout-puissant.

Aux Invalides, une autre manifestation se tient pour demander que la loi ne passe pas, tant on craint que la fameuse « sédation profonde et continue » ne se rapproche trop d'une euthanasie. Ce sont en grande partie les mêmes qui, au nom de la religion, ont brandi le visage supplicié de Vincent Lambert. Nous ne brandissons aucun visage. Nous aurons simplement une pensée émue pour Fabienne Bidaux qui a voulu que le même jour, son « dernier voyage » en Suisse, pour mourir dans la dignité et sereinement, soit conté dans un journal du soir. Une mort qui réconcilie avec la mort. Une mort vivante car choisie. Un hymne à la vie.

Ce mardi 10 mars, personne donc n'est satisfait ! Personne ne s'y retrouve vraiment.

Des jours J, il en existe tant dans une vie ! Ce jeudi 12 mars en sera un, plus de deux ans et demi après mon « oui » à Pascale. C'est au cinéma l'Élysée Biarritz qu'est prévue la projection, en tout petit comité, de la « copie de travail » du film. Sont présents Pascale Pouzadoux, Laurent de Bartillat, son coscénariste, la monteuse Sylvie Gadmer, Laurent Avoyne, le chef déco, Antoine Duléry (Pierre dans le film et mari de Pascale) et Suzanne Antunes de la postproduction. Uli m'accompagne, bien sûr. Nous prenons place dans la salle dont le silence s'entend.

Le moment est donc arrivé de ce que je pressens comme une sorte « d'épreuve », même si l'excitation domine.

Pascale m'a prévenue : le film, en l'état, est « en deçà » de sa forme définitive – le mixage n'est pas terminé –, mais enfin, dans son déroulé, ce sera celui-là. Celui-là et pas un autre ! me dis-je.

N'en est-il pas de même pour les livres qui, en fin d'écriture, empêchent tous les autres livres possibles d'exister ? Je connais cette ombre de l'œuvre presque achevée et le doute un peu fou qu'elle suscite par son achèvement même. L'impossible retour en arrière.

Je ne sais rien de ce qui va se passer, rien de

la manière dont je vais recevoir cet objet, cette œuvre qui n'est plus mienne, mais s'est nourrie de moi pour se transformer. D'avoir suivi, pensé, presque jour après jour, cette métamorphose devrait m'aider à y voir plus clair, et pourtant non ! Je suis sans protection soudain. À la merci de mes réactions. Comment vais-je vivre, et à quelle distance de moi-même, ce film ?

Cette question, tous, ici, se la posent aussi. Particulièrement Pascale, la réalisatrice, pour laquelle cette projection est également une « épreuve ». La veille au soir, nous nous sommes appelées, avons évoqué nos appréhensions, inséparables et cependant différentes. Deux ans et demi d'un parcours partagé avec ses aléas, ses inquiétudes, ses moments d'allégresse, avant de se retrouver, ce matin, devant cet écran devenu test.

Dans la salle, le noir se fait. Je m'agrippe au bras d'Uli que je ne lâcherai pas. Et pour cause. Je vais me laisser prendre pendant plus d'une heure et demie par une émotion qu'à l'instant même, je peine à définir. Peut-on définir une émotion quand elle déferle comme une vague

201

de larmes si haute, si profonde, que la raison s'embrouille ?

Dès les premières images du film, par un phénomène assez proche de ce que je connais de l'hypnose, je me sens partir douze ans en arrière, reparcourir le chemin qui fut le nôtre, à ma mère et à moi, durant ces trois mois de « leçon » à l'école de la mort. Je revis tout. Avec d'autant plus d'intensité que je ne m'y étais pas préparée. Pourquoi l'aurais-je fait ? Jamais, depuis son départ, je n'ai pleuré ma mère, ni pendant que j'écrivais ni quand je portais son message, partout où ma conscience me le dictait, pour notre cause devenue citoyenne. Douze ans à l'évoquer, l'invoquer, cette mère, sans que la moindre larme, la moindre mélancolie vienne s'interposer, déranger ma tranquille assurance. J'étais « en paix », disais-je. Et voilà que...

Philippe Grimbert avait raison : « L'image parle à l'estomac. Le cinéma renvoie, très fort, à l'imaginaire. »

J'en ai la preuve. Absolue. Incontestable.

Rien dans le film, ni l'interposition des comédiennes, ni l'accumulation de scènes, si peu conformes à la réalité de ce qui fut vécu, n'empêchent que cesse ce phénomène, étrange par sa durée.

Je vois le film, tout en revivant le passé.

Je suis dans une double temporalité : celle d'aujourd'hui et celle d'il y a plus de douze ans, maintenant.

Quand je dis que j'ai *vu* le film, je n'extrapole pas, car l'émotion passée, la vague retirée, redevenue tout aussi tranquille qu'à l'habitude, attablée avec Pascale, Uli, Antoine Duléry, Laurent de Bartillat et les deux producteurs, Marc Missonnier et Olivier Delbosc qui nous ont rejoints pour un casse-croûte, j'ai repris mon assurance, ma sérénité. Je peux calmement, sans effort et gaiement aussi, discuter certains points du film avec une précision sans faille. Le film, je l'ai bien en tête, jusqu'à la dernière image. Il a aussi parlé à ma raison...

Aucune des personnes présentes n'a eu à me demander si oui ou non, j'avais aimé le film. Il semble que la réponse était là où ils l'avaient vue : dans cette émotion que je n'avais pas cherché à dissimuler, ce flot de larmes incontrôlées, incontrôlables. C'était cela ma réponse.

La plus vraie. La plus juste. Une émotion sans aucun pathos, sans tristesse, sans chagrin non plus, aussi pure que le rire, celui que j'avais appelé dans mon récit « le rire diamant », voilà ce qui m'avait saisie, dans ce va-et-vient de la fiction au réel, du réel à la fiction.

Couples interchangeables, Marthe / Sandrine, ma mère / moi, suivions la même cadence, les mêmes figures imposées d'une quête essentielle pétrie d'humanité, que seule permet la « posture gigogne » qui m'est si chère, celle de l'emboîtement mère-fille quand l'une porte l'autre, à tour de rôle, pour marcher droit, dans la même direction, choisie par l'une, acceptée par l'autre.

L'image de cette scène où, après s'être fait la belle de l'hôpital, Diane porte sa mère sur son dos pour admirer avec elle le coucher de soleil, dit tout : « Tu me tiens bien, hein ? » demande la mère. « Oui, je te tiens ! » répond la fille. Je me dis que cette image emblématique pourrait être l'affiche du film. Pour moi, elle le contient tout entier car ce dialogue mère-fille court tout au long du récit que j'ai fait de cette escapade hors norme vers la mort. C'était bien le message du livre que ce voyage à deux. Et il est là. Il est préservé. Et le rire avec. Le rire, surtout.

Malgré quelques digressions du scénario qui m'ont gênée et me gênent encore, malgré des difficultés toujours à accepter des personnages que j'ai nommés, plus haut, « les intrus », le message du livre est bien là, fort, puissant : *la mort s'apprend et se partage, oui, quand mourir est une ultime liberté, un dernier acte serein de vie.*

« Fidèle à l'esprit » de l'histoire et du livre, le film l'est donc. N'est-ce pas ce que je désirais pour porter loin, le plus universellement possible, la réflexion sur la mort ?

De cette fidélité, nous aurons grand besoin, car la dépêche vient de tomber tandis que j'écris ces lignes : « La loi Claeys-Leonetti a été adoptée ce 17 mars avec 436 voix pour, 34 voix contre et 83 abstentions. » Une loi qui préfère faire dormir que d'aider à mourir. Le pays des droits de l'homme n'est pas au bout de ses peines pour ceux qui souhaitent mourir debout, les yeux ouverts, en célébrant la beauté d'un soleil couchant.

★

★   ★

Nous nous étions donné rendez-vous plus tard, au moment où j'écrirai ce livre. Il avait à me parler encore, après les mots échangés à mi-tournage. « Oui, mais quand vous aurez lu le livre, avais-je précisé, c'est un préalable ! »

Sébastien, assistant stagiaire à la caméra, est là, devant moi, et s'excuse aussitôt de sa « lâcheté » : « Je n'ai pas lu *La Dernière Leçon* », confesse-t-il.

Je souris. Force-t-on quelqu'un à lire un tel livre ? Il le fera quand il voudra ! Quand il pourra ! C'est ce que je réponds toujours à celles et ceux qui n'y parviennent pas, pour de multiples raisons. Je les comprends. Encore plus aujourd'hui : c'est ce matin même qu'a eu lieu la projection dont je suis sortie, avec plus d'empathie encore qu'à l'ordinaire, pour nos « frères humains »...

J'avais noté, dès mon arrivée sur le tournage, que Sébastien s'était posé la question de la légitimité de ma présence. Il me le confirme : « Je vous ai vue comme quelqu'un qui ne peut

pas lâcher. Je craignais que vous n'interveniez...
L'auteur doit abandonner l'œuvre à celui (ou
celle) qui l'adapte », dit-il. Et puis, devant ma
discrétion, il avait été rassuré. Il avait fini par
m'accepter dans ce rôle que je m'étais donné,
non pas de surveiller ou d'espionner, mais tout
simplement d'analyser. Finalement, il a apprécié
à sa juste valeur ma complicité avec Pascale et
les comédiennes, avec Sandrine en particulier,
en qui il voyait une sorte de « paravent, de filtre,
à mes propres émotions ».

Pour Sébastien, cette première expérience
d'un long métrage est sa « première leçon » à
lui. Une découverte essentielle pour son avenir,
mais surtout une occasion, une opportunité de
revenir sur sa relation avec sa propre mère.
Re-sourire. De nouveau, l'évidence de l'identification : comme cette histoire la favorise encore
une fois !

Ainsi apprendrai-je que quelque chose, grâce
à ce film, s'est joué, entre Sébastien et sa mère,
que leur difficile relation pourrait bien désormais
se transformer...

Diane et Madeleine lui parlent. C'est à
lui qu'elles s'adressent. Pour la première fois,

Sébastien peut considérer sa mère autrement. Il la regarde vraiment, comme une personne ! Une personne qui souffre.

La scène où Diane et Madeleine dansent, où le temps s'abolit, où les barrières tombent, lui a ouvert les yeux. Cette scène sera *sa* scène à lui. Celle des retrouvailles possibles, bientôt, à La Réunion, quand sa mère fêtera ses 60 ans. Un anniversaire. Encore.

★
★   ★

J'étais heureuse que Laurent de Bartillat partage cette toute première projection de la copie de travail. J'avais grande envie, depuis longtemps, d'échanger avec lui.

En tant que coscénariste, il aurait pu tout simplement « disparaître », particulièrement au moment du montage. « Rien de cela ! » me confie-t-il. Jusqu'au bout, Pascale l'a associé à ses choix, comme celui, par exemple, de renforcer le personnage de Victoria, l'amie et aide africaine de la mère. Pour lui, ce fut du « caviar » de travailler dans une telle complicité avec Pascale. Est-ce parce qu'elle est femme ? « La volonté de puissance » n'a pas interféré dans ce travail à deux où « l'écoute » est restée le maître mot. Cette écoute, j'ai pu l'observer moi-même sur le tournage où Pascale m'a étonnée par son attention extrême à l'égard de tous.

« Seuls l'intérêt et le sens du film » préoccupent Pascale, m'explique Laurent, elle qui a gardé des années à ses côtés *La Dernière Leçon* et s'en est pénétrée, jour après jour, avec l'espoir d'en faire un jour un film.

C'est donc avec l'assentiment de Laurent que le film au montage s'est resserré davantage autour du couple mère-fille, même si ce fut parfois difficile : quelques séquences auxquelles il tenait ont dû être sacrifiées. Tant pis pour les scènes familiales, le plus souvent drôles, qui n'ont pas survécu à cet « entonnoir à rêves » qu'est le scénario.

Dès le début de l'écriture, la question s'était posée : quel film faire ? « Un film intimiste et charnel » – qui pourrait bien faire peur –, celui d'un dialogue mère-fille où la famille ne serait qu'un bruit de fond, ou bien un film sociétal dans lequel « la famille comme une antichambre de la société » déclinerait le sujet de la mort choisie dans « toutes ses ramifications » ? Finalement, Pascale et Laurent auront choisi, je pense, un entre-deux, qui probablement aura l'avantage d'être populaire, au meilleur sens du mot. Parlera à tous. Universellement.

Il est clair que si le choix s'était porté sur le film intimiste, il aurait été plus proche de mon propre récit, avec une voix off davantage proche de la mienne. Proche, mais comment ? Laurent ne croit pas à « l'adaptation d'un livre sans que le matériel en sorte fondamentalement transformé ». Sans doute a-t-il raison. Le film ne pouvait être que différent du livre, « autre » par principe, d'où mon expression, encore une fois, « de trahison ou d'infidélité consentie ». Quoi qu'il en soit, les deux coscénaristes n'avaient qu'un seul et même ennemi, qui était aussi le mien : le pathos, ou pire : le mélo.

Ainsi se sont-ils efforcés d'inscrire cette mort choisie de ma mère dans un mouvement de vie perpétuelle où l'espoir demeure le plus possible, pour les proches, de voir la mère revenir sur sa décision. La vie, comme dans le livre, est magnifiée dans ses moindres détails, dans le rire souvent, mais également à travers ces fameux rangements que ma mère appelait son « travail », avec tout ce que signifiait pour elle, la sage-femme, ce mot particulier. Le rangement des objets devenu un symbole de la passation que moi-même je nommais « la chorégraphie du deuil ». Que je voulais dansant...

Tandis qu'il me parle de son travail et de ses exigences, Laurent me l'affirme, pour lui « le sujet du film, c'est la place de la mère aujourd'hui ». Aussi bien est-ce celui qui a accompagné son père dans la mort qui le dit... Un fils donc. Ne sommes-nous pas, chacun d'entre nous, fils ou fille d'un père et d'une mère ?

C'est purement symbolique mais j'y tenais. Il me fallait, à un moment ou à un autre, me retrouver dans les coulisses de la dernière phase de fabrication du film.

Ce serait, donc, pour le mixage de la musique.

Je l'ai dit : elle m'est essentielle. Elle a sa place, dans la plupart de mes propres livres, pour donner la tonalité, la couleur particulières de chacun. Elle sert – et serre – la psychologie des personnages de très près, module avec eux. Les habite, ainsi qu'elle m'habite moi-même. C'est dire comme je l'attendais, la musique, dans l'adaptation de *La Dernière Leçon* !

Je connaissais Éric Neveux pour quelques-unes de ses compositions, notamment celles pour Patrice Chéreau, et j'étais impatiente de le rencontrer pour qu'il me fasse entendre sa création, forcément en adéquation avec ce sujet, si particulier, et le parti pris dramatique de Pascale.

Je me rends ainsi dans un studio du vingtième arrondissement, ce 23 mars (jour anniversaire de mon fils Antoine), portée par un soleil printanier. Pascale m'attend. Me réexplique le principe des thèmes musicaux qui accompagneront les personnages ainsi que leur évolution dans la deuxième partie du film, quand le geste fatal de la mère approche. Comme la chanson de Victoria a pris de l'ampleur, jusqu'à conclure le film. Une idée qui aurait plu à ma mère.

Les techniciens et Éric sont au travail. Ils écoutent un batteur et une basse qui, de l'autre côté de la vitre du studio, jouent en direct sur une musique déjà enregistrée par un orchestre de dix guitares, piano et harpe. Il s'agit de celle qui accompagne la scène dite du « stade ». Sandrine court aux côtés du jeune infirmier qui a soigné sa mère à l'hôpital. La grosse caisse donne le rythme : celui d'un cœur qui bat, d'un cœur qui veut vivre. Puis la batterie et la basse s'emballent. C'est cette musique que Diane entend dans son casque. Et elle court, court frénétiquement, à perdre haleine, jusqu'aux limites extrêmes de son souffle, de ses forces. C'est une course libératrice. Un défi du corps à l'angoisse qui l'étreint.

Sur l'écran, de notre côté, les images défilent. En gros plan, le visage de Diane souffre et jouit tout à la fois de cet effort insensé qui l'emmène ailleurs. Ailleurs qu'en elle-même. Cette course à deux est mieux qu'une banale scène d'amour. Elle est un hymne au corps vivant. Exorcistique.

Pour Éric, une précision de métronome : adapter chaque geste au mouvement rythmique des sons. Un travail d'orfèvre. C'est beau à suivre. C'est fort à entendre. Une musique qui fait sens à ce moment-là du scénario. Impressionnant.

Pause. Je rejoins Éric dans le petit bar attenant. M'assoit en face de lui.

Nous causons.

Il dit s'être, dans un premier temps, « accroché aux séquences les plus fragiles, les plus délicates (comme la scène de la salle de bains dont j'ai longuement parlé), pour trouver le fil émotionnel musical ». Puis avoir cherché, à l'inverse, l'énergie, à travers le personnage de Diane, avant de revenir à l'émotion du début.

« Pour moi, c'est le rire, le point de départ. Une émotion transpercée par la vie... »

Je souris. Le rire a eu sa place, ô combien en effet, entre ma mère et moi, dans les trois derniers mois de sa mort annoncée. Et c'est bien ce rire qui rend évidents le récit et le film, aujourd'hui.

Pour Éric, le message du film est bien celui que je voulais faire passer à travers mon récit : un film sur la liberté, la maîtrise de sa vie jusqu'à l'ultime liberté. Une mort apprivoisée aussi, sans morbidité, dans une société qui ne veut pas la voir et la dénie. Il n'a pas lu le livre « par déformation professionnelle, car les images qui viennent *doivent* être celles du scénario, précise-t-il, une matière filmique où l'on plonge vers l'essentiel ». Il avoue toutefois avoir été quelque peu « intimidé » avant de commencer à travailler sur cette histoire si forte. C'est un sujet qui exige une « grande responsabilité » à cause d'un risque de « manipulation » des gens, précisément lié à l'émotion. Faire pleurer est si facile ! Vigilance donc.

De pleurs fabriqués, cyniques, il ne veut pas. Pas plus que moi. Le pathos est son unique ennemi. Il est le nôtre, à nous tous – tous métiers confondus – qui transformons aujourd'hui la « leçon » en film.

« Vous savez, conclura Éric, je ne suis pas très tranquille avec la mort... »

Tranquille... qui l'est ?

★

★   ★

J'ai voulu revoir le film, seule. J'avais besoin d'un tête-à-tête avec lui.

Ce 14 avril 2015, me voilà de nouveau à l'Élysée Biarritz.

Dehors, sur les Champs-Élysées : une foule turbulente jouit d'un été précoce.

Dedans : une salle feutrée, déserte, attend ma venue. Je me glisse en plein centre. Les fauteuils vides qui m'entourent semblent étonnés, forcément, de cette disposition incongrue. Je leur fais un signe de connivence, presque d'excuse. Je suis l'unique spectatrice d'un film sans public autre que moi, pour la première fois, et sans nul doute pour la dernière. Un jour, dans cette même salle peut-être, un vrai public le verra, ce film-là. La présence des gens, leurs mouvements, leurs respirations, leurs chuchotements occuperont le vide avant le noir complet.

Ce tête-à-tête, il me le fallait pour clôturer cette aventure suivie de si près.

Comme j'avais été seule pour l'écriture de *La Dernière Leçon*, je me devais de vivre seule, à un moment, cette nouvelle expression de mon récit, son nouveau langage, son prolongement, d'en acter la transformation à tout jamais « écrite », elle aussi, de souhaiter la bienvenue à cet objet si différent, si étranger, et cependant encore si organiquement proche de l'original.

Revoir le film, surtout, plus à distance que le 12 mars dernier, en espérant échapper à cette « double temporalité » qui m'avait saisie quand, frappée par les réminiscences du passé réel et bouleversée par les images d'aujourd'hui, l'émotion avait pris la force d'une vague immense de larmes, brouillant les repères du passé et du présent. Je savais qu'il en serait autrement cette fois-ci. Je le voulais d'ailleurs. Quelque chose l'exigeait.

La passation l'exigeait.

C'est ici, à l'Élysée Biarritz, qu'elle devait, pour moi, prendre corps, s'officialiser d'une certaine façon, et finalement, s'accepter.

Mais que de passages successifs pour en arriver là ! Que de traversées, d'étapes à franchir !

Ma mère fut, de toutes les passeuses, la plus lumineuse. Je me suis inscrite dans sa lignée par la revendication d'une philosophie de la vie – inséparable de la mort – qui me porte encore et qui fait son chemin. Une promesse tenue.

L'écriture est venue ensuite. Première mise à distance. Au printemps qui a suivi le « jour de la chemise de nuit ».

D'autres passeurs nous ont emboîté le pas.

Mais en ayant dit « oui » au film, je mesure l'ampleur de la distance nouvelle qui s'impose désormais. Je sais bien que je passe à mon tour le relais en abandonnant en route une partie de moi-même.

N'est-ce pas lui, précisément, « cet abandon », l'objet même de ce récit ? Et le renoncement, son principe ? Ce renoncement n'a de sens que s'il permet, une fois de plus, de porter plus loin encore le message du récit.

Le noir se fait. Tranquille. Je suis tranquille.

Voilà, la projection est lancée.

Premières images. Madeleine, sur un fond de radio et une musique de Django Reinhardt, observe dans son miroir celle qui, tout à l'heure, va « annoncer », dire quelque chose d'énorme à ses enfants qui l'attendent pour fêter son anniversaire, sans se douter de rien : « Ce sera donc le 17 octobre... » La déflagration.

Les scènes, les séquences s'enchaînent. Le film m'emmène avec lui. Je me laisse faire. Je le laisse faire. J'acquiesce. Je consens à me quitter...

Ils sont arrivés, un à un, comme les mots dans une phrase. Un à un. Se sont installés discrètement comme pour ne pas me déranger. Oui, autour de moi, on prend place. On s'assoit, il me semble. Je les sens, les mouvements. Je les entends, les respirations, les chuchotements. Des gens sont là.

Je ne suis plus seule au cinéma Élysée Biarritz.

Maintenant, c'est à travers eux que je regarde le film à mon tour. Avec eux que je partage colère, peur, espoir, angoisse, rire.

Je suis à l'unisson.

Vibration commune, collective.

Que cette histoire-là m'appartienne n'a plus guère d'importance. C'est à tous qu'elle appartient, aux spectateurs que je sens autour de moi, avec leurs histoires qui se mêlent à la mienne, la reprennent en chœur comme un refrain familier. C'est à eux que je passe le relais. Le flambeau.

Le film se termine sur la photo de celle qui a inspiré l'histoire : ma mère, la vraie.

Elle éclaire la salle vide de son sourire radieux.

Du même auteur

Le Corps à corps culinaire
essai
Seuil, 1977 ; 1998 (réédition avec une préface inédite)

Histoires de bouches
récits
prix Goncourt de la nouvelle 1987
Mercure de France, 1986
Gallimard, « Folio », n° 1903

À contre-sens
récits
Mercure de France, 1989
Gallimard, « Folio », n° 2206

La Courte Échelle
roman
prix des Grandes Écoles
et des Universités francophones 1993
Gallimard, 1993
et « Folio », n° 2508

À table
récits
Éditions du May, 1992
et Éditions de La Martinière, 2007 (réédition augmentée)

Trompe-l'œil
Voyage au pays de la chirurgie esthétique
Belfond, 1993
réédité sous le titre
Corps sur mesure
Seuil, 1998

La Dame en bleu
roman
prix Anna de Noailles de l'Académie française 1996
Stock, 1996
et « Le Livre de poche », n° 14199

La Femme Coquelicot
roman
Stock, 1997
et « Le Livre de poche », n° 14160

La Petite aux tournesols
roman
Stock, 1999
et « Le Livre de poche », n° 15023

La Tête en bas
roman
Seuil, 2002
et « Points », n° P1052

La Dernière Leçon
récit
prix Renaudot des lycéens 2004
Seuil, 2004
et « Points », n° P1380

Le Baiser d'Isabelle
L'aventure de la première greffe du visage
récit
Seuil, 2007
et « Points », n° P1998

Au pays des vermeilles
Seuil, 2009
et « Points », n° P2506

Les Nouveaux Parents
(avec Serge Hefez et Jean-Claude Kaufmann)
Bayard, 2011

Entretien avec le marquis de Sade
Plon, 2011

Madame George
roman
Seuil, 2013
et « Points », n° P3292

TEXTES CRITIQUES

Système de l'agression
Choix et présentation des textes philosophiques de Sade
Aubier-Montaigne, 1972

Introduction et notes à
Justine ou les Malheurs de la vertu de Sade
Gallimard, « Idées », 1979
et « L'Imaginaire », 1994

RÉALISATION : NORD COMPO À VILLENEUVE-D'ASCQ
IMPRESSION : CPI
DÉPÔT LÉGAL : OCTOBRE 2015. N° 122339 (130446)
Imprimé en France